LES CHIENS SOURDS

Alexis Goldschmidt

LES CHIENS SOURDS

Nouvelles

LE HÊTRE POURPRE
Éditeur

DU MEME AUTEUR

L'espoir barbelé, roman *(Paul Legrain Editeur)*

sous le pseudonyme de Pierre Algaux :
Nuits sur les branches, poèmes *(La Maison du Poète)*
De l'art moderne, adaptation de Paul Klee
(Editions de la Connaissance)

ISBN 90 - 5201 - 551 - 1
D / 1995 / 5678 / 51

TABLE DES MATIÈRES

AVERTISSEMENT

Parce que nous les aimons telles qu'elles sont, nous avons pris la liberté de faire publier ces nouvelles à l'insu de leur auteur, seule garantie qu'il ne les modifie plus.

Ce faisant, nous lui avons ôté la possibilité de lire les épreuves et d'y apporter les corrections qu'il aurait jugées nécessaires.

Qu'il nous pardonne cette audace et n'y voit que le témoignage de notre affection et de notre admiration.

Antoinette et Bill   Colette et Pierre

PRÉFACE

L'amitié, si profonde soit-elle, ne prête pas forcément à l'indulgence. Je crois même qu'elle peut entraîner le contraire. Quand, depuis de très nombreuses années, on lit des manuscrits et que, soi-même, on n'a pas cessé d'écrire, on est exigeant à l'égard de ceux qui nous sont chers. On désire qu'ils excellent. Je savais qu'Alexis écrivait mais son extrême modestie et mon souci de laisser aux autres leur liberté m'avait empêchée de m'enquérir de ses travaux. La lecture de *L'Espoir Barbelé* fut pour moi une bouleversante découverte. Cela ne signifie pas que je fus surprise. J'ai, tout naturellement, aimé ce beau livre et, pas de doute, son auteur, mon ami Alexis comblait les espérances de réussite que du fond de mon silence j'avais mises en lui.

Notre amitié dure depuis si longtemps que nous ne comptons plus les années. Nous ne comptons pas davantage le temps où la vie nous a tenus éloignés. Nous savons l'un et l'autre que c'est ainsi qu'elle va, la vie, toujours imprévisible, souvent étrange. Elle nous apporte sans cesse de quoi nous émerveiller et de quoi nous terrifier. De quoi désespérer également, si nous ne parvenons plus à lui faire confiance. Mais ceux qui connaissent l'auteur des *Chiens Sourds* ou ceux qui ont lu *L'Espoir Barbelé*, roman dicté par son expérience de prisonnier de guerre, savent qu'un homme pareil ne se laisse pas aller à ce sentiment. Je ne dirai pas que le désespoir lui est étranger, il est bien trop sensible pour ne pas avoir éprouvé cette souffrance. Mais il n'a jamais couru le risque de s'y complaire.

9

Quand Alexis Goldschmidt et moi nous nous sommes rencontrés, la guerre, dont nous évitions de parler, était finie depuis peu et nous étions tous habités par le souvenir de ceux que nous ne reverrions plus. C'était à Saint-Paul-de-Vence où de jeunes - et aussi de moins jeunes - romanciers se réunissaient autour de Pierre de Lescure pour discuter des écrivains qu'ils aimaient, de leur métier, pour s'entretenir des problèmes que leur posait la technique du roman, pour partager leurs expériences. Je n'ai pas oublié l'intelligence et la ferveur d'Alexis, si percutantes au cours de ces réunions qui aboutirent à la création d'une revue intitulée «Roman». Plus tard vint une collection d'oeuvres romanesques, publiées sous ce même titre. «Roman» était alors «monté» à Paris. Puis l'équipe originelle se dispersa et, hélas, comme il arrive si souvent aux revues littéraires qui se veulent sans compromissions, malgré le renouvellement de sa rédaction, «Roman» finit par mourir. Alexis était demeuré fidèle et dans l'un des derniers numéros de la revue, il publia *Jour V* , une nouvelle que j'ai retrouvée, étoffée et enrichie, dans *Les Chiens Sourds*.

La première version de *Jour V* a déjà les qualités des oeuvres plus récentes. Elle n'est nullement - ce qu'on pouvait craindre pour un début - un exercice de style. Mais en fréquentant quelques années de plus ses personnages, Alexis Goldschmidt les a mieux connus, comme cela se passe dans la réalité avec les amis. Il a ajouté des faits, des rencontres qui ont marqué cet homme et cette femme, étrangers l'un à l'autre, mais tous deux brisés par la guerre. Cette histoire simple et douloureuse, il la raconte telle qu'elle est vécue par Denis, un prisonnier qui, après cinq années d'Allemagne, sent perdue pour lui Nathalie dont il a tant rêvé, pourtant soudain capable d'un sursaut de bonheur devant une eau forte de James Ensor; et par Madame Lepas qui lui confie la raison de son besoin de fuite désespérée. Ce qui m'a le plus frappée, dans *Les Chiens Sourds* , c'est la justesse du ton de chacune des oeuvres si différentes les unes des autres et la parfaite aisance avec laquelle le romancier sait faire évoluer ces gens que nous connaissons fort bien, après ne les avoir que brièvement rencontrés. L'âge et le milieu ne lui posent pas de problème.

Ses personnages s'expriment avec leurs mots propres. Ils bougent comme ils bougeraient dans la vie réelle. On n'est jamais déconcerté par leur langage ou leurs attitudes. Ils sont vrais. On ne découvre pas de recours aux clichés trop souvent décourageants dans les oeuvres qui émanent de l'égocentrisme, parfois même inconscient, de leur créateur.

Alexis Goldschmidt possède une parfaite maîtrise de l'art de la nouvelle. Il sait procéder par petites touches et être concis. L'époque, le lieu, les circonstances ainsi que l'identité des personnages, les relations qui existent entre eux doivent apparaître tout de suite. Les longues descriptions, comme les explications sont impossibles. Il y a de mystérieuses règles, impossibles à transgresser et que beaucoup d'écrivains ne parviennent pas à suivre. Est-ce sa formation de juriste qui permet à Alexis Goldschmidt de s'y plier avec tant d'aisance apparente ? Il possède un discernement qui l'amène sans détours à l'essentiel. Il m'arrive de me répéter une phrase d'Arnold Schoenberg: «Si l'on savait comment Mahler nouait sa cravate, on comprendrait plus qu'en trois années de contrepoint au conservatoire». Plusieurs fois, au cours de la lecture des *Chiens Sourds*, j'ai pensé à cette remarque du compositeur d'*Erwartung* car Alexis sait certainement comment Mahler nouait sa cravate. Il nous conduit tout de suite au coeur de l'histoire qu'il veut nous conter. Avec lui, «trois années de contrepoint au conservatoire» sont inutiles. Un unique petit détail, nous révèle un personnage. Il y a ainsi brusquement des plongées inattendues dans l'âme de ces gens qu'il nous permet de si bien connaître. Par exemple, à la fin *Des pierres dans le soleil*, la confession de Thérèse nous fait saisir la détresse de cette mère «indigne», une malheureuse «tondue» de la Libération, qui n'en finira pas d'expier. Et, conscient de la diversité des pulsions, des sentiments de chacun, il nous montre que cette femme, victime d'elle-même et de la cruauté de l'époque, a pourtant conservé le pouvoir d'aimer et n'y renonce pas. Cette histoire, l'une des plus bouleversantes du recueil, il faut une grande générosité de coeur pour l'avoir imaginée.

La générosité d'Alexis Goldschmidt envoûte le lecteur. Elle est si rare. En lisant *Le rendez-vous de Nanny May*, j'ai cru deviner qui lui en avait fait don. Comme ses autres personnages, Nanny May existe mais l'on sent qu'elle a aussi joué un rôle dans sa vie. N'est-ce pas elle qui, par son exemple, lui a communiqué ce qu'il appelle «l'optimisme du bonheur» ? La nouvelle se situe dans le domaine du fantastique. Comme si le surnaturel était nécessaire pour faire passer la confidence très émouvante mais que l'auteur a dû juger trop personnelle. Avant tout, il a su utiliser sa sensibilité exceptionnelle pour devenir un vrai romancier; il sait se rendre invisible et possède le pouvoir de se mettre à la place d'autrui. Il exprime ce qu'il a observé chez les autres, aussi bien que ce qu'il a éprouvé lui-même. Pour cela, il faut beaucoup d'humilité. Il serait plus exact de dire beaucoup d'amour, car pour recréer les autres, il faut non seulement les respecter mais il faut les aimer. C'est ce que nous ont appris Tchékhov, tous les grands Russes dont les personnages possèdent la complexité des êtres humains. Et je revois la mère d'Alexis, russe elle aussi, au noble visage marqué par la finesse et la bonté. N'est-ce pas d'elle, toujours prête à comprendre, à aimer les autres, qu'Alexis tient ce don ? Ses oeuvres ne sont pas autobiographiques, même celles qui, comme *Jour V* ou *D'un nom à l'autre* nous ramènent à la douloureuse période de la Seconde Guerre mondiale, inoubliable pour ceux qui l'ont vécue, exposés comme lui au délire sanguinaire des Nazis.

Mais ce sens du tragique au quotidien n'est pas la seule caractéristique de ces nouvelles. Dans celle qui clôt le recueil: *Les béquilles* , un romancier «arrivé» montre sa peur en face de jeunes gens qui simulent un guet-apens le temps de lui faire entendre ce qu'ils pensent de lui. Ces jeunes sont des lecteurs qui ont choisi cette mise en scène pour protester parce qu'il les a déçus. «(Ses) bouquins, sauf le premier ne laissent aucun sillage» et «un livre qu'on ne relira jamais est une fenêtre qui ouvre sur le vide». En quelques pages, le métier et le rôle du véritable écrivain sont cernés, remis à leur place, avec une drôlerie pleine d'aplomb. Alexis Goldschmidt traite des sujets les plus sérieux sans l'ombre d'une lourdeur moralisatrice. Il ne se laisse jamais jeter de la poudre aux yeux et le discours des pédants, il ne l'entend pas. Il y a partout, chez lui, un humour discret, souvent au second degré, voilé de mélancolie qui, lui aussi, nous rappelle les auteurs Russes évoqués plus haut. Ne vous y trompez pas, ce n'est pas un portrait de l'auteur, mon ami, que j'ai essayé d'esquisser. J'ai simplement voulu profiter de cette occasion qui m'a été donnée de dire mon admiration pour l'écrivain et pour l'homme, sans cesse à l'écoute de son temps et qui a toujours suivi le même chemin difficile, vers ce qu'il pense être la vérité et la justice.

Célia Bertin

Première partie

JOUR V

Nathalie avait prédit qu'il trouverait facilement. Arrivé au coin de l'avenue Mirabeau, Denis tira de la poche du blouson neuf dont l'avaient affublé les Anglais au moment de le rapatrier d'Allemagne le papier avec l'adresse. Comme il embrouillait encore tout trois jours après son retour à Bruxelles, il avait noté: «Madame Lepas, 39 avenue Mirabeau». Va pour le 39, se dit-il. Il fit une boulette de la feuille de papier et d'une chiquenaude l'expédia dans la rigole. Il se sentait bien, capable de prendre la grave décision de louer un appartement. Il redevenait l'être civilisé d'avant la guerre. Ou presque. On ne se défait pas d'un coup de la mentalité de prisonnier ni du vocabulaire de cinq ans de captivité. Landrieu non plus n'y parvenait pas. Dans la queue au guichet des cartes de ravitaillement il avait raconté qu'il appelait sa mère «mon vieux», qu'il jurait un vigoureux nom de Dieu si on le bousculait sur la plate-forme du tram et continuait à dire kartoffel pour pomme de terre. Denis ne lui avait pas confié qu'on est drôlement perdu lorsqu'on découvre que sa maison est bousillée, que ses parents sont au Congo et qu'on ne possède pas un costume pour se mettre en civil.

Le 39 était un immeuble moderne qui dominait les habitations voisines. Au mur il y avait sept boutons de sonnettes avec des noms en face de chaque bouton. Denis se réjouit que celui de Madame Lepas soit au sommet de l'alignement, il rêvait d'horizons et de soleil. «Un homme seul ? Je vous rencontrerai devant l'entrée à quatre heures. Je désire voir à qui j'ai affaire avant d'introduire un inconnu chez moi», avait dit la propriétaire au téléphone. Ça paraissait curieux si on cherche un locataire, la dame Lepas devait être une rombière maniaque qui ferait des tas de chichis pour conclure un bail.

- Monsieur Brison ?

Denis recula d'un pas, sortit les mains des poches de son pantalon comme s'il allait se mettre au garde-à-vous, regardant avec stupeur la jeune femme qui pointait vers lui un trousseau de clefs.

- C'est vous la propriétaire ? Merde alors.

La bouche maquillée émit un rire profond. Elle avait, cette fille, une grande bouche, des yeux vifs, elle rigolait de sa confusion.

- Excusez-moi , je suis idiot. Je pensais que vous seriez vieille et moche. Vous comprenez ma surprise. Je n'ai pas pu m'empêcher...

On n'est pas plus con, se disait-il. Nathalie aurait dû le prévenir qu'elle n'était pas un vieux tableau. Peut-être Nathalie ne savait-elle rien de Madame Lepas, une amie avait passé le tuyau qu'une chambre meublée avec cuisine était à louer dans ce quartier bourgeois.

- Je vous montre le chemin, dit la jeune femme. L'ascenseur est en panne. C'est au sixième.

Elle grimpait vite l'escalier fichtrement raide. Denis fut bientôt essoufflé. Il n'avait plus l'habitude des escaliers. Les genoux perdent leur souplesse à force de transbahuter des sacs de ciment, il s'en était aperçu lors d'une corvée pour remplacer les tuiles du toit d'une ferme bombardée proche de la cimenterie. Une petite Polonaise apportait de l'eau sur les gîtes où Maurice-le-long et lui s'asseyaient à l'heure du casse-croûte, elle s'attardait et fumait une cigarette. Elle n'était pas jolie malgré son fichu rouge, mais en captivité la présence d'une fille souriante séduit.

Quatre étages. Encore deux. Denis mettait un point d'honneur à ne pas se laisser distancer par les tournesols stylisés de la jupe qui ondoyait de marche en marche au rythme du claquement des sandales à semelles de bois. Nathalie avait aussi ces chaussures bruyantes. Il ne voulait pas penser à Nathalie.

- Nous y voici, dit Madame Lepas.

Elle entra la première dans l'appartement et poussa les battants d'une vaste baie vitrée. Denis récupérait, ce nom de

Dieu d'escalier était plus esquintant que décharger un wagon de ciment.

- Vous avez un sacré panorama, dit-il.

- Du toit la vue est superbe. Vous aurez l'usage exclusif de la plate-forme.

La pièce tapissée d'un papier blanc était spacieuse, il y régnait l'ordre méticuleux des veilles de départ en voyage. Madame Lepas allait d'un meuble à l'autre, elle expliquait des tas de choses. Denis admirait l'aisance de ses gestes, il se demandait si cet appartement féminin accueillerait avec amitié le ballot qu'il était, s'il s'adapterait. Elle tapotait maintenant les coussins du divan et se pencha davantage pour montrer qu'au-dessous il y avait un tiroir contenant des draps et des couvertures. Ce n'était pas ça que Denis regardait, mais les fesses rondes ornées chacune d'un tournesol juste là contre l'immense divan qui invitait à culbuter au travers cette putain de fille. Il fourra les mains en poche, il se répétait «fais pas le con, t'es venu louer un appartement, t'as le temps pour les histoires de cul, signe d'abord le bail».

La jeune femme s'était redressée et se dirigeait vers la porte du fond.

- Vous avez ici une petite chambre, dit-elle, le lit est étroit mais le sommier est bon. A côté, la cuisine. Au sixième la pression de gaz est constante, ce n'est pas le cas en bas, le pianiste du deuxième se plaint d'en manquer aux heures de pointe. Derrière ce rideau, la douche, ne comptez pas trop sur l'eau chaude, on ne l'a que de temps en temps.

Je serai obligé de me faire à bouffer, songea Denis pris de panique. M'occuper de mon ravitaillement, choisir des provisions sous l'oeil moqueur des ménagères. Et éplucher les légumes et les kartoffeln, je croyais en être quitte pour toujours. Il soupira. Madame Lepas s'en inquiéta, elle se remit à faire l'article.

J'ai établi des inventaires complets, vous saurez ainsi ce que vous avez à votre disposition. Si vous souhaitez les contrôler...

Ils étaient revenus au salon. Elle fouillait le secrétaire Louis XVI. Denis sourit à l'idée d'être assis devant ce meuble gracieux pour calculer le prix de revient d'une charpente. Le directeur du bureau d'étude lui avait dit que ses employés prisonniers de guerre étaient d'office réembauchés, qu'il pouvait commencer n'importe quand son travail, on manquait de matériaux et rien ne pressait.

La jeune femme avait étalé des listes sur la table, en double exemplaire.

- Tiens, dit-elle, j'ai oublié de mentionner la hache.

Elle m'a servi à fendre des bûches, j'en ai une réserve dans la cave numéro six. Il est agréable, l'automne, d'allumer un feu de bois. Attention, ne fendez les bûches que le jour, ça résonne jusqu'ici à cause des tuyauteries, sinon la concierge vous tombera dessus. Elle déteste le bruit et appelle tapage nocturne le Chopin que joue le pianiste du deuxième.

Il y avait une concierge. Ce serait chic, songeait Denis, si elle acceptait de faire ses courses chez l'épicier et de balayer l'appartement. Il ne posa pas la question, il fallait éviter que Madame Lepas n'exige un loyer plus élevé s'il montrait combien l'appartement lui plaisait. Elle devait s'étonner de son mutisme et le prendre pour un couillon.

- Je n'emporte que mes livres et l'appareil de radio, dit-elle.

- Cette eau-forte d'Ensor, vous la laissez ?

- Elle vous plaît ?

- J'adore la peinture.

Elle le regarda. Il n'était plus possible de se taire.

- Je rentre de captivité. J'ai croupi cinq ans sans avoir eu l'occasion d'admirer un objet ni de rencontrer quelqu'un qui connaisse Ensor. Une sale époque. Mes parents m'ont fait aimer les jolies choses. Ils sont en Afrique, ils ont dû souffrir d'apprendre là-bas qu'une bombe volante avait soufflé notre maison et détruit le Pissaro. Je ne supporterais pas l'idée d'habiter parmi un tas d'horreurs et je suis soulagé que vous offriez de me louer ce chouette appartement.

Il avait débité sa petite histoire à toute pompe et se sentit rougir, ça non plus ne lui était pas arrivé depuis cinq ans.

- Venez.

Elle appuya une échelle au mur du palier d'entrée et l'escalada en soulevant une trappe. Ses longues jambes fines et nues disparurent. Il la rejoignit sur une vaste terrasse en forme de cuvette qu'entouraient les arêtes du toit.

- On peut s'y accouder comme à un garde-fou, dit-elle. Ici personne ne vous voit. Un domaine secret avec le ciel pour témoin. Vous trouverez dans le bahut une natte et des coussins. C'est mieux que des sièges si on désire se rôtir au soleil.

Le vent plaquait la robe aux tournesols contre le corps de la jeune femme et le moulait. La garce était vraiment bien foutue. Elle s'allongeait sans doute à poil sur cette plate-forme du tonnerre, ça lui ressemblerait.

- Les allemands ont incendié le Palais de Justice avant d'évacuer Bruxelles. Madame Lepas désignait du doigt la masse de l'édifice décapité de sa coupole. Vous ne le saviez pas ?

Non, il ne le savait pas. Ni cela ni tant d'autres choses qui s'étaient passées à Bruxelles en son absence. Nathalie ne lui avait pas raconté ce qu'avait subi la ville qui s'étendait à ses pieds, indifférente, tâchée de lumières et d'ombres sous le ciel mouvant. Un de ces ciels belges dont il avait eu la nostalgie même en Prusse Orientale où pourtant se déroulaient des chevauchées de nuages.

- Ces cheminées, dit-il, ont l'air de bouches de canon qui ne tireront jamais.

Elle eut la politesse de rire. Ils redescendirent.

- Je loue, dit Denis. Je loue si vos prix sont dans les miens. Et si je peux m'installer bientôt.

- Dès demain.

Le loyer était raisonnable et Denis s'abstint de marchander.

- Bien, dit Madame Lepas. Je téléphone à mon avocat que je fais un saut pour chercher le bail. Car il y a le téléphone.

- Je ne l'avais pas remarqué.

Cette fois le rire parut moqueur. La jeune femme considérait que l'affaire était dans le sac.

Dès qu'elle referma la porte, Denis eut une impression d'hostilité. Les meubles en apparence aimables jusque là semblaient allergiques à sa présence. Je suis chez moi, je les apprivoiserai, se dit-il. Un peu désorienté, il fit le tour de la pièce et se planta devant l'eau forte «La Bataille des Eperons d'Or». Un Ensor merveilleux. Tout irait bien. Ensor était son ami. Il se promit de lui présenter Nathalie. Tout à l'heure, sur le toit, il avait pensé à elle en découvrant la brume bleutée qui flottait du côté de Dilbeek où chaque année, après les examens, ils allaient manger des fraises et des tartines de fromage blanc. Une bande joyeuse d'étudiants qui emmenaient la petite soeur de Charles pour ne pas lui faire de la peine, elle était encore au lycée lorsqu'il avait obtenu son diplôme d'ingénieur. Charles réunissait souvent les copains dans le grenier de la rue des Hauts-Ponts, Nathalie écoutait si bien leurs discussions orageuses qu'on se croyait intelligent. Elle piquait le menton sur les genoux, on ne distinguait que son front de chèvre, ses yeux gris. Denis se souvenait de lui avoir dit «tu es triangulaire», elle avait compris que c'était un compliment. La timide Nathalie le devinait à demi-mot, il lui parlait librement comme le ferait un grand frère. Et puis , après son stage d'un an aux Etats-Unis, lors de la mobilisation générale, Nathalie n'était plus une chèvre farouche, elle avait noué les bras autour de sa nuque pour qu'il l'embrasse et n'avait pas fermé les yeux. Elle semblait prête à s'abandonner, mais il avait eu des scrupules, il n'aurait pas osé abuser de la confiance de la mère de Nathalie qui tolérait leur amourette avec l'arrière pensée d'un mariage dès la fin de la guerre.

Derrière les barbelés, l'image de Nathalie le hantait. Au fil du temps elle devenait floue, il la recomposait et l'intensité de ses sentiments croissait dans le terreau de la solitude. Il se créait une Nathalie personnelle, elle lui appartenait, il n'en demandait pas davantage pour l'aimer.

Avant-hier... Que s'était-il donc imaginé, avant-hier, en sonnant rue des Hauts-Ponts à l'improviste. Une bonne inconnue avait ouvert, oui les dames étaient là, il pouvait entrer. Du seuil du salon il voyait de dos Nathalie accroupie sur le tapis, la tête penchée vers un poste de radio. La voix monocorde du speaker récitait un chapelet de noms, les noms et les prénoms des prisonniers revenus des camps. La mère de Nathalie brodait sous la lampe, tout à coup elle l'avait aperçu, elle avait murmuré «Denis, c'est toi Denis» et s'était enfuie pour cacher ses larmes. Nathalie, absorbée, ne bougeait pas, il avait pu se préparer au moment où elle se retournerait. Il était resté silencieux, ému d'être si proche d'elle, ému par la photographie agrandie de Charles placée en évidence sur la commode, sa photo de vainqueur d'un tournoi de tennis. Si on l'avait mise là serait-ce le signe que son ami était mort ? Mais non, Nathalie aurait été en deuil, elle guettait l'annonce du retour de Charles, on avait dû le déporter.

Le speaker se tut.

- Nathalie...

- Nous t'attendions, Denis.

Elle lui tendait les mains pour qu'il l'aide à se relever et ne les lâcha pas, elle le maintenait à bout de bras comme pour lui interdire de l'embrasser. Elle l'observait si sérieusement, la Nathalie réelle. Nom de Dieu, qu'elle s'anime, qu'elle sourie enfin et comprenne...

- Charles ? avait-il demandé.

- Nous ne savons pas. Aucune nouvelle depuis qu'il a quitté la prison de Saint-Gilles en octobre 43.

- Le camp de concentration ?

- Probablement Buchenwald.

Nathalie n'avait pas donné de détails. Ils s'étaient assis dans des fauteuils loin l'un de l'autre. Une distance de plus à franchir...

- C'est curieux, dit-elle, tu n'as presque pas changé.

- Quoi ? Crois-tu qu'en cinq ans de captivité...

Il n'avait pas achevé sa phrase. Nathalie dut comprendre à la vivacité de sa réaction qu'elle l'avait blessé.

- Raconte.

Elle le disait gentiment, le mot d'autrefois pour qu'il invente des histoires. Il laissa son écho s'éteindre, il ne mendiait pas de la gentillesse. Que raconter puisqu'il était rentré bien portant tandis que Charles...

- Ta mère a pleuré en me voyant, elle espérait Charles, dit-il. Si nous sortions. La nuit est magnifique. La foule déferle sur les boulevards, on fera des farandoles Grand'Place pour célébrer la capitulation de l'Allemagne nazie, c'est le jour V de la victoire.

- J'ai promis d'aller chez Priam.

- Priam ?

- Albert Leroy. Il dirigeait notre réseau de résistants, nous avions de faux papiers et un nom de guerre. Il était le plus âgé du groupe, alors on l'a baptisé Priam. Il aura peut-être des renseignements sur Charles.

Elle ramassait la nappe à demi brodée que sa mère avait abandonnée sur le tapis et s'apprêtait à partir.

- Bon Dieu, Nathalie, ce que tu as changé.

Ce cri lui avait échappé comme lorsqu'on se pince le doigt dans une porte et qu'on crie avant d'avoir mal. Il ne pouvait dissimuler qu'il avait mal. Il essaya de sourire pour chasser l'expression d'effroi des yeux gris de Nathalie, on ne reproche pas à une fille de s'être épanouie en son absence. Il se hâta de reprendre:

- Je suis bête d'être surpris que tu aies changé en cinq ans. On ne se rend pas compte si on est coupé du monde qu'ailleurs le temps n'est pas immobile. C'est long, cinq ans.

- A Bruxelles aussi le temps a été long. Mais les gens veulent oublier la guerre, l'occupation, la possibilité de se surpasser qu'ils n'ont plus. Le soufflé de courage est retombé, prétend Priam. Tu le verras, beaucoup de personnes sont déçues d'avoir si peu changé, d'être reprises par la routine d'avant. Toi, Denis, c'est le contraire, tu es encore ton propre prisonnier.

L'écho des paroles de Nathalie l'avait poursuivi. Aujourd'hui, dans l'appartement de Madame Lepas, il s'interrogeait pour la centième fois: avait-elle dit «encore ton propre prisonnier», comment être sûr qu'elle avait dit «encore» ? Il fallait se dépêtrer de ces cinq années de merde. Facile à dire.

- Raconte.

Nathalie avait répété ce mot exprès pour qu'il se détende en marchant, ils se rendaient ensemble chez Priam. Des jeep pavoisées descendaient à toute allure la chaussée de Charleroi en direction du centre de la ville. Le bruit sec des sandales de bois de Nathalie rythmait leurs pas. Il parvint à lui décrire l'atmosphère d'une baraque où s'entassaient cinquante hommes, l'odeur fade de la soupe au rutabaga, l'anxiété de ne pas recevoir du courrier ou des colis. Le survol du cimetière de ses souvenirs fut interrompu net quand un sergent canadien puant le whisky s'était accroché à Nathalie et avait ri de l'indignation du soldat qui escortait la jolie fille sans l'enlacer.

Ils n'avaient plus parlé jusqu'à la rue de la Source. Nathalie s'arrêta devant une de ces maisons banales construites en profondeur vers 1900. La porte s'ouvrit, la lumière brillait derrière la masse sombre de Priam. Il embrassa Nathalie sur les deux joues.

- Voici Denis, dit-elle.

- J'ai entendu votre nom à la radio. Entrez, Monsieur.

- C'est que je dois regagner le centre d'accueil où je passe la nuit.

- Le temps de boire une fine. Personne ne se couche le jour V. Toujours rien de Charles, dit Priam à Nathalie.

Dès qu'ils furent dans la pièce jonchée de journaux, Nathalie fit marcher la radio en sourdine. Un orchestre jouait «le beau Danube bleu». Etrange programme. Denis regardait les gestes maladroits de Priam aux prises avec le tire-bouchon, il songeait qu'une heure auparavant il ignorait l'existence de cet homme à qui Nathalie avait tout de même parlé de lui. Ils étaient sympathiques les yeux tristes de Priam, sa voix de basse, la calvitie naissante. Il embrassait Nathalie sur les joues, en camarade d'anciens combats, ce serait absurde d'être jaloux d'un Priam de quarante cinq ans. Ils trinquèrent, Priam voulait montrer qu'il était content de le voir buvant son cognac qui brûlait la gorge d'un feu de jour V et montait à la tête, que ce n'était pas sa faute s'il était revenu et pas Charles. Les deux autres écoutaient la lente énumération des noms de rescapés, parfois ils échangeaient une remarque à mi-voix. Denis s'engourdissait au fond de son fauteuil, il attendrait que le speaker se taise pour partir. Et Nathalie ? Resterait-elle avec Priam ? Il espérait qu'elle ne resterait pas.

- Il est tard, dit-il et s'appuyant aux bras du fauteuil il se mit debout. Il avait chaud dans son uniforme de grosse laine.

- Attends-moi, dit Nathalie. Je n'ai pas prévenu Maman, elle va s'inquiéter.

- A demain. Priam avait couvert de ses mains celles de la jeune fille. A demain.

Le lendemain Denis avait déjeuné rue des Hauts-Ponts, un repas lugubre. Ce n'était pas là qu'il rétablirait une intimité avec Nathalie. Il pensa qu'il l'inviterait sur le toit de son appartement, au soleil, elle lui avait procuré l'adresse, il était normal qu'elle vienne constater comment il s'organisait pour se dépouiller de cet «encore» qui l'obsédait. La première chose à faire serait d'acheter un costume et une cravate.

Le fracas d'un avion fit trembler les vitres. Un Américain s'amusait. Denis avait soif. Il chercha un verre dans le bahut et tomba en arrêt devant un trou rond à la partie supérieure du meuble. Pas d'erreur, le trou d'une balle de revolver.

Madame Lepas le surprit contemplant le bahut.

- Qu'est-ce que c'est ? demanda-t-il.

- Vous le voyez bien, un simple trou. J'ai apporté le bail. Lisez et signez.

Denis fit semblant d'examiner le document pour réfléchir, la hâte de cette fille à louer sans le moindre renseignement à son sujet était suspecte, on n'abandonne pas comme ça un appartement meublé, avec un Ensor. Il fallait qu'elle s'explique.

- Le bail me paraît normal, dit-il. Ce qui l'est moins, c'est pourquoi vous prenez la fuite.

- Ce sont mes oignons.

- Oui et non. Je ne loue pas si ma propriétaire disparaît demain dans la nature.

- Soyez franc, jeune homme, vous êtes intrigué par ce trou. S'il avait été mastiqué, vous ne feriez pas tant d'histoires.

- Il ne l'a pas été. Ce trou est ...

- Assez.

Madame Lepas lança violemment son sac sur le divan, elle essayait de dominer l'agitation qui contractait sa bouche fardée.

- Je ne peux plus vivre ici, dit-elle. Ce salon a trop partagé des illusions que j'ai perdues.

Elle s'assit au bord du divan et indiqua une chaise à Denis.

- Vous m'avez dit qu'une bombe volante avait soufflé votre maison et détruit vos souvenirs. Il est stupide de vouloir hériter des miens. Mais puisque je dois acheter votre signature en vous les livrant, je vais passer par vos conditions et satisfaire votre curiosité.

Denis esquissa un geste de protestation qu'elle ignora.

- Tout a commencé un soir de juin l'an dernier. Je sortais d'un cinéma de la rue Neuve, soudain les gens ont hurlé que les Allemands cernaient les issues, on courait pour échapper à la rafle, personne n'était certain d'être en règle. Un solide gaillard s'est jeté sur moi, il m'a poussée sous une porte cochère et m'a dit: «jouons les amoureux, la Feldgendarmerie ne s'intéresse pas aux couples qui s'embrassent». Je n'ai pas résisté et par miracle nous n'avons pas été interpellés. L'homme m'a encore embrassée pour me remercier, c'était un parachutiste qui craignait que sa planque ne soit découverte et il n'en avait pas d'autre. Quand je lui ai avoué que mes seuls péchés étaient de trafiquer au marché noir et qu'on n'avait pas de motifs de me soupçonner de faire partie de la résistance, il m'a demandé de l'héberger le temps de renouer les contacts pour regagner l'Angleterre. J'ai accepté. Une nuit, nous étions au lit, des miliciens ont défoncé la porte, Roland a bondit pour s'emparer de son revolver, les salauds ont tiré les premiers et l'ont emmené sans me permettre de bander sa blessure au bras. J'ai nettoyé les taches de sang, mais je n'ai pas bouché le trou qu'a fait une balle perdue dans le bahut, ce trou qui n'a cessé de m'adresser un clin d'oeil complice... jusqu'à mardi.

Elle hésitait à poursuivre. Denis demeurait silencieux, il ne se sentait pas le droit de dire «et alors ?».

- J'ai appris, reprit-elle, qu'on n'avait pas exécuté Roland et j'ai cru qu'il était déporté. Depuis que les prisonniers rentrent des camps, je me suis mise à l'attendre, il y a toujours des fleurs fraîches dans un vase pour l'accueillir. J'osais à peine m'absenter de peur de le manquer, chaque coup de sonnette me faisait sursauter. Mardi après-midi une amie m'a entraînée de force au cinéma avenue de la Toison d'Or. Si mon amie n'avait pas discuté du film avec moi en sortant de la salle, j'aurais crié: Roland prenait tranquillement des places pour la séance suivante. Je suis passée près de lui, j'ai dit «tu as bonne mine», il a souri et répondu «tu ne le savais donc pas, j'ai eu de la chance, j'étais dans le train de Malines». Voilà.

- Excusez-moi, dit Denis. Le train de Malines ?

- J'oubliais que vous n'êtes pas au courant de ce fabuleux exploit. A la veille de la libération, le dernier convoi de prisonniers politiques devait quitter Bruxelles pour aller à Malines et de là en Allemagne. Les cheminots ont multiplié les fausses manoeuvres, ils sont parvenus à retarder d'heure en heure le départ du train, puis à ne parcourir que quelques kilomètres avant de revenir à la gare de la Petite-Ile où ont débarqué les quinze cents hommes et femmes auxquels ils avaient sauvé la vie. Parmi eux, Roland. C'était le 3 septembre et nous sommes en mai.

Madame Lepas prit dans son sac un stylo et le tendit à Denis.

- Signez maintenant, dit-elle. Après, si l'oeil du bahut voùs dérange, vous pouvez le fermer.

Pas nécessaire, pensa Denis. Demain la première chose à faire sera de changer les meubles de place. En adossant le bahut à un mur d'angle il camouflera ce nom de Dieu de trou. Et il modifiera l'éclairage de «La Bataille des Eperons d'Or», Ensor lui montrera comment remporter la victoire. La jeune femme s'impatientait. Il la regarda. Une broche d'un travail très fin retenait le haut de sa blouse échancrée, un «P» en or s'y dessinait sur fond d'émail. Denis se souvint d'avoir vu dans le bail que son prénom était Paulette, il s'en foutait qu'elle s'appelle Paulette ou Pierrette, demain elle aura fui avec ce «P» qui signifiait aussi problème, comme si en fuyant elle parviendrait à ne pas être son propre prisonnier. Il s'en foutait désormais qu'elle ait une bouche sensuelle et des fesses du tonnerre. Denis signa les trois exemplaires du bail.

- Merci, dit Madame Lepas. Voici la clef de la boîte aux lettres, j'y glisserai demain matin le reste du trousseau.

Elle attendait qu'il s'en aille.

- Vous permettez, dit-il, que je donne un coup de téléphone.

- Je vous en prie.

Denis forma le numéro de Nathalie.

SO SOFT

Elles avaient parcouru environ un kilomètre sans rien dire. A hauteur du château d'eau, le raccourci qui menait aux vergers en fleurs du hameau de Jurion sinuait entre les champs où le froment commençait à poindre. Un large chemin de terre crevassé d'ornières par les pluies et le passage des charrettes. Sa mère prit le bras de Mariette, elle marchait en boitillant dans les souliers d'avant guerre qu'elle avait sortis d'une boîte pour la visite de l'avocat. Comme si l'homme de loi y ferait attention. D'ailleurs il était myope, ce qui n'avait pas empêché le vieux Maître Grain, se disait Mariette, de la regarder d'un drôle d'air. Elle en avait voulu à sa mère de l'avoir obligée à mettre sa plus jolie robe.

Une auto venait à leur rencontre, une jeep chargée de soldats en uniforme kaki. Ils firent des signes à la jeune fille et lui crièrent quelque chose qu'elle ne comprit pas. Elle se dégagea de l'étreinte de sa mère et agita le bras.

- De nouveau tes soldats, grogna la mère. Tu le sais bien que les soldats sont des voyous.

- C'est eux qui nous ont libérés des Allemands.

- Libérés ! La belle excuse. Presque deux ans de ça qu'on est libéré. Tous ces étrangers n'ont qu'à retourner chez eux.

Presque deux ans. Fred, lui, n'avait été affecté dans la région qu'en 1945, vers Pâques. Mariette le voyait avec son casque de la police militaire britannique arrêter sa moto devant leur maison pour demander la direction de Waroux. Il riait parce qu'on ne saisissait pas ce qu'il disait et avait écrit sur un cahier d'écolier d'Ursule le nom de la petite ville. Au lieu de partir, il avait enlevé son casque et s'était enfoncé dans le fauteuil de tapisserie sans qu'on l'y ait invité. Il avait examiné la grande cuisine d'un regard admiratif et répétait «very nice here, très nice ici», puis allumé sa pipe et dit «merci» à Ursule qui lui servait un verre de bière.

- Tu l'as entendu, l'avocat, disait la mère qui avait repris le bras de Mariette. Tout est de ta faute, ta faute à toi. On ne peut rien y faire, il m'a réclamé beaucoup d'argent pour dire qu'on ne peut rien faire.

- Je t'avais prévenue qu'aller chez l'avocat était inutile.

- Inutile ! Ce sont tes histoires qui l'étaient, inutiles. Je t'ai donné de la religion, le bon exemple, et à la première occasion tu te jettes à la tête de cet Anglais de malheur.

- Monsieur le curé...

- Eh bien quoi, Monsieur le curé. Il a dit que tu as péché, que tu dois porter le poids de ta faute. Et c'est sur nous qu'elle retombe. Tu ne te repens même pas de tout ce scandale.

Mariette essayait de ne pas entendre, elle connaissait le sermon par coeur, ces mots inutiles puisqu'il n'y avait rien à faire. La voix aigüe la poursuivait, des bribes de phrases l'atteignirent.

-... notre famille, la plus vieille du pays. On en parle encore de ton grand-père, les gens aimaient l'écouter... Puis ton pauvre père, Dieu ait son âme, et sa politique...

Le couplet sur le père maintenant. Mariette pensait aux mots bêtes qu'il lui chuchotait en l'embrassant le soir dans son lit, un langage à eux deux, sinon elle refusait de s'endormir. Pendant l'occupation il était devenu nerveux, il proclamait sa haine des nazis, sa haine des collaborateurs, au village on disait qu'il allait attirer des ennuis.

-... Je lui répétais qu'il faut être prudent, que ça ne suffit pas d'accrocher des couvertures aux fenêtres pour cacher la lumière quand les partisans venaient pour les consignes, qu'on le dénoncerait, tout le monde savait qu'il était un chef de la résistance. Il se moquait de moi. On l'a bien vu que j'avais raison d'avoir peur. A quoi ça sert de se faire fusiller ?

Oui, il aurait dû prendre le maquis. A la libération les froussards qui avaient craint de se compromettre s'étaient empressés de prononcer des discours à sa mémoire, de placer son portrait à la salle des fêtes. La mère était seule à entretenir son culte et l'appelait un héros.

-... cet Anglais, insistait la voix, nous l'avons accueilli comme l'aurait fait ton père. Je ne protestais pas s'il se vautrait dans le fauteuil de tapisserie ou dévorait notre viande du marché noir. Et aujourd'hui, l'avocat dit que nous n'avons pas de recours contre ton Fred éclipsé sans laisser d'adresse. Nous n'obtiendrons pas un sou de ce coureur de jupons qui nous a flanqué une fille sur les bras, un enfant illégitime. Elle cria plus fort. Un enfant illégitime et tu n'as pas vingt ans.

- J'aurai vingt ans demain, dit Mariette et elle pensa à la déception de l'avocat. Tu lui a bien menti, à Maître Grain, quand il a demandé mon âge.

- Je me suis méfiée. S'il désirait savoir si tu étais mineure, c'était pour nous annoncer des tas de complications et nous soutirer de l'argent. Nous avons assez d'ennuis comme ça. Assez d'ennuis avec ton enfant illégitime.

Encore des cris. Mariette ne répondit pas qu'il est facile de condamner les autres, que c'était elle, la mère, qui avait tout commencé en se dressant sur la pointe des pieds pour que Fred l'embrasse le jour de la fin de la guerre, le jour de la victoire. Fred avait sauté sur cette chance de les embrasser aussi, les filles, un vrai baiser et Ursule était cramoisie d'être embrassée par un homme. La gamine souhaitait les accompagner à la ville où l'on tirait un feu d'artifice, tout aurait peut-être été différent si la mère l'avait permis. On ne sait jamais d'avance ce qui peut arriver, songeait Mariette, surtout avec Fred. Il l'avait emmenée danser, il dansait mal, mais elle avait remarqué que les jeunes femmes lui enviaient son Anglais, il était si grand, si gai, il chantonnait et son rire vous enveloppait de joie. Après la fête elle s'était sentie sans force lorsqu'il l'avait serrée contre lui près de la grange et que ses mains avaient glissé de ses épaules vers les hanches pour bientôt la caresser sous sa robe. Il avait chuchoté «nous, faire l'amour», ça il savait le dire en Français, et dans la grange obscure ils avaient roulé sur la paille sèche qui piquait un peu. Elle ne distinguait pas le visage de Fred, mais ses mains et son corps étaient partout, un corps dur mêlé au sien longtemps, si longtemps. Pourtant aucune image des heures où elle s'abandonnait en silence au désir de cet homme que la nuit rendait invisible ne hantait sa mémoire. S'il n'y avait pas le bébé, elle aurait cru ça irréel. Un dimanche Fred n'avait plus jeté un caillou à sa fenêtre, le signal de le rejoindre dans la grange. Ni le lundi ni les jours suivants. Il était parti. Il ne soupçonnait pas qu'il était le père d'une petite fille. Là-bas en Ecosse, il ne se posait pas la question, il pêchait sans doute le poisson au bord d'un lac et sifflotait une de ses ritournelles monotones qu'Ursule fredonnait encore.

On approchait de la maison, la mère se hâtait. Mariette regarda sa silhouette menue dans les vêtements de deuil, la bouche pincée. Comment , se demandait-elle, le père avait-il pu supporter cette femme incapable de tendresse. S'étaient-ils aimés ? et de quel genre d'amour ? Ils semblaient mal assortis sur la photographie de leur mariage accrochée au-dessus du piano, elle très droite pour paraître plus grande, le nez levé avec une expression de triomphe, lui qui souriait au photographe de son bon sourire confiant. Il s'imaginait naïvement qu'il faut faire confiance à la vie, aux gens, qu'il suffit d'être gentil pour résoudre les problèmes. Il était mort de son optimisme et la mère le lui reprochait. De la méchanceté, on n'accuse pas les morts qui ne peuvent se défendre. La mère critiquait sans arrêt. Seule Ursule échappait à ses remontrances. La sale gamine ressemblait beaucoup à la mariée de la photo, elle avait aussi un front têtu et des sourcils en arc, des yeux de hibou, des dents prêtes à mordre. «Moi, je suis différente de ces deux-là», se réjouissait Mariette en passant les doigts dans ses longs cheveux de soie blonde. «So soft, si doux» disait Fred un soir qu'elle les séchait près du poêle, il avait insisté pour les brosser. A Fred les choses paraissaient simples, naturelles, brosser ses cheveux, la coucher sur la paille, s'en aller et ne pas dire adieu. Aujourd'hui sa fille de dix semaines gigotait avec la même insouciance. Née presque sans douleur comme tout ce qui venait de Fred. Le curé et l'avocat, chacun à sa manière, avaient affirmé sérieusement qu'elle était responsable de l'enfant que le ciel lui avait donné, des paroles vides de sens, elle n'avait eu que quelques gouttes de lait.

La mère monologuait:

- Des filles, rien que des filles. Ursule après Berthe et toi. Lorsque la sage femme nous l'a montrée, je me suis excusée auprès de ton père, il souhaitait tellement un garçon. Il a dit seulement «les filles ne vont pas à la guerre». C'était la crise à cette époque, le fascisme, il prévoyait qu'on aurait la guerre tôt ou tard. A quoi ça nous a servi, ses prophéties, nous voilà de pauvres femmes sans homme.

- Ursule aura changé la petite et préparé son biberon, dit Mariette.

- Je peux m'appuyer sur Ursule, elle est mon bâton de vieillesse.

Elle ne termina pas la phrase par les mots «tandis que toi...» qu'elle sous-entendait. Mariette se révoltait, la mère n'était pas vieille, à cinquante ans on n'est pas vieux, d'ailleurs elle ne tolérait pas qu'on la remplace dans le ménage. Sous n'importe quel prétexte elle vous empêchait de langer et de nourrir le bébé, et puis se vantait d'avoir été la première à qui il avait souri. Qu'elle le garde, pensa Mariette, j'en ai assez d'être traitée de mère inattentive, de mauvaise mère, assez de ces récriminations au sujet de ce que je fais ou ne fais pas. Elles n'ont pas besoin de moi, ma mère et Ursule, je veux partir comme Berthe, trouver du travail mieux payé qu'à l'épicerie, j'enverrai de la ville de l'argent tous les mois, on n'en demande pas davantage à Berthe. Je vais partir.

Les deux femmes ralentirent le pas en arrivant à la maison de pierre. Des pétales de fleurs du poirier parsemaient le sol de taches blanches. La mère gravit les marches, ouvrit la porte et s'arrêta, la main sur le loquet. Mariette regarda par dessus son épaule. Elle aperçut des jambes kaki étendues au travers de la cuisine. Un soldat était là, assis dans le fauteuil de tapisserie.

- Ursule ! cria la mère.

- Hello, dit Fred quand elles se décidèrent à entrer. Sweet baby.

Sans bouger il désignait le bébé qui s'endormait sur ses genoux. Le biberon était vide. Appuyée au bras du fauteuil, Ursule se tenait immobile, les yeux plus sombres que de coutume.

- What's her name ? Comment il s'appelle ?

Personne ne répondit. Il souriait. L'enfant eut un renvoi, du lait macula son bavoir. Ursule prit un mouchoir et lui essuya la bouche. Mariette s'était adossée contre le mur pour ne pas trembler, ses joues brûlaient.

- Very pretty girl indeed. Très jolie. We will call her Peggy. Joli nom, Peggy.

Il la chatouilla sous le menton sans parvenir à lui faire ouvrir les yeux. Il chantonna «sleepy head, time for bed», se leva avec précaution, dit «fatiguée, Peggy, beaucoup bu» et la déposa dans le berceau.

Pourquoi Fred revenait-il ? Cette comédie qu'il jouait était ridicule. Il fallait le chasser, le chasser tout de suite. Mariette se tourna vers sa mère, c'était à elle de mettre dehors l'intrus, le coupable, de l'accabler de sa colère qui pouvait enfin éclater comme une délivrance. Mais la mère demeurait figée sur place, une femme vieillie en proie à l'indécision. Fred ne se souciait pas de l'embarras qu'il provoquait, il retourna s'asseoir dans le fauteuil du père et bourra sa pipe. Il paraissait content de se retrouver là, il salua du regard les meubles bien astiqués, le carrelage noir et blanc, les casseroles de cuivre. Il entreprit de raconter une histoire dans son langage rocailleux, parsemé de mots français tout aussi incompréhensibles, il ne s'adressait à personne. Mariette eut envie de hurler.

La pendule sonna six heures. La mère marmonna «déjà six heures» et quitta la pièce. Mariette se laissa tomber sur un banc, attira un seau et commença d'éplucher des pommes de terre. Elle se penchait pour ne pas salir sa jolie robe que protégeait mal un tablier délavé. Le sans-gêne de Fred l'exaspérait, elle faillit se couper. Il était odieux de subir, impuissante, sa présence au centre de la cuisine, son rire satisfait, la vie des gens n'est pas une salle d'attente pour oiseaux migrateurs. Le comble était l'attitude d'Ursule, cette

40

petite sotte pourtant si sauvage permettait à Fred d'enlever de son cou le collier de première communion et de faire mine d'admirer son médaillon de pacotille. S'il effleurait ses cheveux raides en disant «so soft», elle le croirait.

Après avoir épluché les pommes de terre, Mariette les mit à chauffer dans une marmite, y ajouta du sel. La mère cuirait le repas du soir. Allait-elle demander à Fred de le partager ? Aucune importance que Fred s'incruste, se dit-elle, qu'il joue à la poupée avec le bébé. Il n'avait pas de droits sur sa fille prétendait l'avocat, on ne pouvait pas prouver qu'il en était le père. Il ignorait d'ailleurs qu'elle s'appelait Mathilde, le nom qu'à sa naissance la mère avait imposé en souvenir d'une tante vertueuse. Un nom que Mariette n'aimait pas, il faisait penser à une pensionnaire de couvent tandis que Peggy, elle se l'avouait, évoquait une fille qui jouait gaiement à la balle avec une bande de garçons.

- Je vais faire du thé, dit la mère.

Elle avait changé de toilette. Mariette l'aperçut qui cherchait dans le bahut les tasses du service cerclé d'un filet d'or, celui des grands événements. En l'honneur de Fred ? Une honte, on n'était plus au jour de la victoire de l'an dernier, on n'avait rien à célébrer, surtout pas le retour de Fred. La mère était assez intelligente pour savoir qu'il se fichait de l'avenir du bébé, que ce soit Mathilde ou Peggy, même s'il adorait les gosses, qu'elle ne pourrait pas lui soutirer de l'argent. Et voilà que, la théière fumante à la main, elle s'arrêtait pour l'écouter.

- L'Allemagne, you know, fini. Je vais home chez ma Mammy. Elle ne sait pas, une surprise de son big boy. Look, j'ai une photo.

Il sortit une photographie de son portefeuille. Ursule se pencha, ses seins fermes de quatorze ans tendaient sa blouse.

- Like it, Ursula ?

Fred saisit le pot de porcelaine et versa du lait dans la tasse avant le thé qu'il but bouillant. Il alluma la lampe en étendant le bras, son visage brique rougit davantage.

Lorsqu'un parfum de poireaux emplit de verdure la cuisine, Fred alla s'installer à table.

- Supper is ready, cria-t-il.

Il sembla voir Mariette pour la première fois. La serviette nouée autour du cou, il l'interpella.

- Well, Mary, pas faim ? Come, it's jolly good. Très bon.

C'en était trop. Il l'invitait à dîner chez elle, quel culot. La mère hochait la tête à le voir dévorer. Ah, celle-la ! Mariette arracha son tablier et se précipita au-dehors.

Ses pensées s'ordonnèrent peu à peu. Fred partait ce soir ou demain, il l'avait dit, plus de Fred demain. Elle pourrait croire qu'il n'a jamais existé. La mère serait étonnée d'apprendre qu'un homme si robuste, si envahissant, peut disparaître de votre vie sans la marquer bien qu'il vous ait fait un enfant. Aux vacances de Noël, quand elle avait parlé à Berthe de cette étrange impression de ne plus se rappeler Fred qu'en rêve, la grande soeur avait répondu avec son insupportable air de supériorité que les mâles sont des égoïstes en amour, ils ne s'intéressent qu'à leur plaisir et ne s'inquiètent pas d'émouvoir le corps des femmes. Le seul amant attentif, le plus généreux aussi, j'en ai l'expérience, avait ricané Berthe, est l'homme marié dans la cinquantaine. Tu comprends il a peur de tout, peur de ta jeunesse, peur de la comparaison, tu le maltraites, ça le rassure que tu t'en donnes la peine et il dit merci. Mais toi tu es une chiffe molle comme l'était en réalité notre père, une brave idiote, ton Fred en a profité et tu n'as même pas joui. Ne compte pas sur moi pour te plaindre. Mariette l'avait découvert dès l'enfance, Berthe n'était pas une amie. Pas plus qu'Ursule. Ses deux soeurs étaient les dignes filles de la mère. Personne ne songeait à leur chuchoter «so soft», ces deux mots de Fred qui sont l'unique souvenir qu'elle désirait conserver de lui.

Elle frissonna dans sa jolie robe d'autrefois que Fred n'avait pas reconnue. Elle avait froid sous le ciel étoilé, et faim.

La mère avait mis les reliefs du repas au four afin qu'ils demeurent chauds. Mariette mangea en silence. Fred fumait, l'odeur fauve de tabac anglais empestait. Ursule s'était accroupie près du berceau.

- Fred passera la nuit dans la cuisine, dit la mère. Si le bébé crie et le réveille, tant pis, nous ne changeons pas nos habitudes. Il s'en va demain à l'aube et ne veut pas qu'on se dérange.

Ainsi ils avaient causé. Mariette fit la vaisselle, rinça et essuya les verres avec application. Elle était l'exclue. Bon, qu'ils restent entre eux, elle n'aspirait qu'à se jeter sur son lit, loin de Fred et de l'odeur du tabac blond.

Ursule ouvrit la porte à un chat roux aux pattes tachées de blanc. Fred lui gratta la tête, le chat plissa les yeux et ronronna en se frottant contre ses jambes.

- Je suis éreintée et je me couche, dit Mariette d'une voix si nette que les autres la regardèrent. Mère veux-tu donner à bébé le biberon de dix heures ? Ou toi, Ursule.

La petite fit un signe d'assentiment. Mariette monta à sa chambre située au-dessus de la cuisine d'où elle pouvait entendre pleurer Mathilde qu'on laissait en bas depuis la suppression du sixième biberon. L'idée que Fred passerait la nuit avec sa fille ne l'amusa pas. Elle se répétait qu'il s'en allait demain à l'aube sans que les voisins le voient dans la brume matinale. Il prendrait le train et le bateau pour l'Ecosse, on serait enfin tranquille.

Couchée sur le dos, les pieds douloureux d'avoir tant marché, Mariette sait qu'elle se ment. Le départ de Fred ne dissipera pas la tension qu'il a fait naître, les problèmes ne sont pas réglés. Elle a horreur de réfléchir aux problèmes. Ah, que les choses étaient faciles à la maison pendant la guerre, on connaissait son devoir et chacun l'accomplissait. Le père disait souvent que dans des circonstances exceptionnelles les règles de la morale courante deviennent relatives, il faut découvrir soi-même où sont le bien et le mal, le permis et le défendu. Mais le père est mort, la guerre est finie, de nouveau les gens vous jugent au nom de leur morale qui ne fournit pas la solution de vos problèmes. La mère aussi avait été perplexe en voyant

Fred avec le bébé sur les genoux, elle qui d'habitude tranche au sujet de tout. Elle n'avait pas chassé Fred. C'était lui qui avait décidé quand il s'en irait, il n'avait pas peur d'être pris au piège du préchi-précha des autres. Et moi ? se demanda soudain Mariette. Une question qu'elle a évité de se poser pour ne pas entendre la réponse. Ce soir elle ne peut plus se dérober. La vérité est qu'elle est une esclave, elle l'a toujours été, soumise aux quatre volontés de la famille dont chaque conseil est un ordre et la conduite l'exemple à imiter. Peut-être avait-elle inconsciemment espéré que Fred lui ouvrirait la porte de sa cage et au contraire il l'y a enfermée avec un enfant. Nous sommes tous plus ou moins en cage, se dit-elle, se souvenant que Berthe refusait de loger dans cette chambre parce que le poirier empêchait le soleil d'y pénétrer, elle comparait les branches du poirier à des barreaux. Berthe avait eu le courage de partir, elle n'avait eu besoin de personne pour s'envoler. A quoi bon, sa révolte ne lui avait pas procuré la liberté qu'elle proclamait avoir conquise. Elle était devenue l'esclave de ses goûts de luxe, elle dépendait des largesses de l'homme marié qui l'entretenait. Il est encore préférable, pensa Mariette, de se réfugier comme moi dans la résistance passive, même si on vous traite de chiffe molle.

L'horloge de la cuisine sonna dix coups qui vibrèrent à travers le plancher. Mariette les compta. Pas de bruits en bas. La mère était sans doute couchée, Ursule s'occupait du biberon. Elle se représentait Fred ronflant, les mains croisées sur le ventre, ses grosses godasses près du fauteuil. Il y avait un trou dans l'une de ses chaussettes, Ursule regardait le trou, elle n'osait pas offrir de repriser la chaussette.

Des cris. Le bébé réclame à boire. Un remue-ménage, Mariette voit Ursule qui s'affaire. Les hurlements redoublent. Fred voudrait les calmer, il interroge Ursule, il fait son apprentissage. Maintenant il chante, les cris s'apaisent un moment et reprennent. Fred a beau chanter, bercer le marmot, il n'obtient pas de résultats. Ursule mesure la ration de lait, éprouve sa température en versant quelques gouttes sur son avant-bras, elle est fière que ses singeries soient admirées par un homme.

Le silence revient. La petite boit, elle videra sagement son biberon. Mariette se demande si les bébés rêvent. Elle s'enfonce sous les couvertures, ses cheveux dénoués lui caressent la joue.

Le bavardage des oiseaux dans le poirier la réveilla. Mariette quitta le lit à regret, enfila ses pantoufles, prit à une patère son manteau de laine et descendit. La cuisine était déserte. Plus de Fred. Sur la table la théière et une tasse. Une seule tasse. Ursule n'aurait-elle pas déjeuné avec Fred ? Elle avait du donner le premier biberon au bébé puisqu'il n'avait pas crié. Où se cachait Ursule ? L'horloge marquait presque sept heures. Mariette éprouva un malaise. Elle alla vers le berceau, il suffisait d'écarter les rideaux de mousseline. Elle le fit enfin. Le berceau était vide.

Elle referma le manteau autour de sa chemise de nuit. Pourquoi ne pouvait-elle pas crier, appeler au secours. Pourquoi le père était-il mort. Elle se dirigea vers la porte d'entrée. Sur la troisième marche du perron parsemé de fleurs du poirier, Ursule était assise, la tête entre les bras.

- Ursule.

La petite ne bougea pas. Seules ses épaules se soulevaient comme si elle pleurait.

- Ursule, parle-moi.

Mariette s'agenouilla et redressa la tête de la gosse.

- Où est Mathilde ?

- Partie. Fred est parti avec Peggy.

- Ce n'est pas vrai.

- Si, c'est vrai. J'ai remis à Fred pour le voyage un biberon et une boîte de lait en poudre.

- Tu as fait ça ? Tu l'as aidé à voler mon enfant ?

- Peggy est sa fille.

Je devrais la gifler, se dit Mariette. Elle leva la main et Ursule bondit hors de portée. Sa main retomba. C'était fini. Fred avait volé Mathilde. Elle murmura «ma petite Mathilde».

- Ta faute s'ils sont loin. Ta faute. La colère secouait Ursule. Tu dormais. Tu dors tout le temps. Si tu étais descendue pour le biberon de six heures...

Mariette se releva, serra le manteau qui s'était entrouvert, la chemise de nuit bleu-ciel dépassait. Elle pensa que sa fille ne connaîtrait jamais son nom de baptême. «Vous êtes responsable de cet enfant que Dieu vous a donné», avait affirmé Monsieur le Curé, mais Fred était venu et l'avait volé. Que diraient-ils de ça, le prêtre et l'avocat ?

- Je te déteste, cria Ursule, comme je te déteste.

Mariette ne l'écoutait pas. Elle s'imaginait Fred sac au dos sur la route avec le bébé enveloppé de l'ample châle qu'elle a tricoté pendant sa grossesse, bientôt il va devoir le nourrir, il se demande comment expliquer à la patronne d'un café qu'il n'a que du lait en poudre, il sent une mauvaise odeur, la petite s'est salie, il n'a rien pour la changer, elle sanglote, ils sont tous deux malheureux. Fred est embêté, il se dit que l'escapade a assez duré, il fait demi-tour, il revient.

- Tu n'as pas entendu ? Ursule trépignait. Ils sont partis pour toujours.

Elle se jeta sur sa soeur et la frappa de ses poings fermés. Mariette leva un coude pour parer les coups, elle ne voulait pas lâcher son manteau, la petite cognait, elle faisait mal.

- Ursule, cesse.

C'était la mère. Ursule recula. Elle haletait.

- Fred et Peggy sont partis pour toujours. C'est la faute à Mariette. Elle dormait. C'est sa faute. Et toi, cria-t-elle à Mariette, va-t-en aussi. Tu n'as rien à faire ici. Je ne veux plus te voir. Fous le camp.

La mère observait ses filles, indécise.

- Ursule, dit-elle, il est l'heure de l'école. J'espère que tu as étudié ta leçon d'histoire.

La petite se balançait d'un pied sur l'autre, le visage crispé. Elle ne se résignait pas à céder la place.

- Eh bien ?

Ursule rentra à la maison et claqua violemment la porte.

- L'idiote, dit Mariette.

Elle massa son bras meurtri. Ursule l'avait battue à cause de Fred. L'idiote se fiait aux apparences. Fred allait lui rendre Mathilde, elle en était sûre, son intuition de mère ne pouvait la tromper. C'était à elle, la maman de Mathilde, qu'il la rendra.

- Tu ferais bien de t'habiller, dit la mère.

LE CHIEN SOURD

L'autocar roulait avenue Franklin Roosevelt en direction du champ de courses de Boitsfort. Plongés dans leur journal, la plupart des voyageurs étudiaient encore une fois les performances des chevaux qu'ils joueraient à moins qu'une ultime inspiration ne les incite à changer d'avis. Pour cette journée du Derby, quelques habitués avaient toléré d'être accompagnés de leurs femmes sagement assises près de la fenêtre, le sac sur les genoux.

Indifférent à ce qui l'entourait, Vitry lisait un petit bouquin à reliure rouge. Il sentit un regard le frapper au profil, si insistant qu'il leva la tête. Quelqu'un l'observait, une femme rousse d'environ trente-cinq ans à peine plus âgée que lui. Elle ne détourna pas les yeux. Agacé par cette curiosité, il se demanda ce qui l'intriguait. Etait-ce la lecture d'un livre au lieu des pronostics de «Sport - Elevage» ou son long cou de héron ? Les deux sans doute. Il adopta une expression rébarbative avec pour résultat de s'attirer un sourire approbateur, la rousse cherchait à insinuer qu'ils partageaient un même mépris des courses. Qu'elle aille au diable !

Il revint à l'introduction au théâtre d'Eschyle dans une édition de 1858 dénichée chez un bouquiniste proche de la place des Martyrs. Une trouvaille. Il arriva au passage consacré à la mort du dramaturge. Celui-ci, selon la légende, s'était réfugié en rase campagne pour déjouer la prédiction de l'oracle «un trait lancé du ciel te tuera». En vain. Un aigle avait lâché une tortue qu'il tenait dans ses serres et en s'abattant sur le crâne d'Eschyle la tortue le fracassa. Une histoire exemplaire, se dit Vitry, l'homme n'échappe pas à son destin.

Un choc ébranla le car. Le chauffeur jura, il n'avait pu éviter la collision. D'un seul mouvement les passagers s'étaient dressés, inquiets, ils se bousculaient pour voir. Bien que l'accident ne semblât pas grave, l'aile d'une voiture de sport aplatie, ils se hâtèrent de descendre craignant d'être pris comme témoins et de rater le départ de la première course.

Vitry les laissa défiler. Il n'était pas pressé, il ne serait plus jamais pressé. La vie est trop courte pour la parcourir au galop.

Un agent de police avait surgi. Le propriétaire de l'auto endommagée l'agrippa, il parlait avec animation, désignait d'un doigt accusateur le chauffeur du car qui allumait une cigarette. Des couples s'arrêtaient, l'homme ne cessait pas de gesticuler.

Le constat exigerait un certain temps. Vitry, ayant mis le petit volume dans la poche de son veston, descendit à son tour du car. La perspective de faire à pied le kilomètre qui le séparait de l'hippodrome ne l'effrayait pas, il suffisait de marcher lentement et de ménager son souffle.

- Vitry !

L'individu corpulent qui surveillait l'agent en train d'établir un croquis de la position des véhicules avait poussé ce cri, Vitry recula comme si une tortue tombait du ciel.

- Vitry ! Toi ici. L'homme s'approchait, les mains tendues. Tu n'as pas changé, mon vieux, comment est-il possible que tu aies si peu changé depuis... là-bas. Moi, tu vois, j'ai doublé de poids. Qu'est-ce qui t'amène à Bruxelles ?

- Peters...

- Lui-même. J'étais sûr que tu me reconnaîtrais malgré mon embonpoint. Ce que je suis heureux. Bouge pas, j'en termine avec les formalités.

L'agent s'embrouillait. Peters se désintéressait de l'accident, il dit à Vitry que si par principe il voulait prouver son bon droit, en réalité il s'en foutait, il avait une assurance tous risques et serait indemnisé d'une façon ou de l'autre.

L'anxiété qui s'était emparée de Vitry en s'entendant apostropher se dissipait. La jovialité de Peters produisait le même effet de cordial que là-bas, à Mauthausen, où elle remontait le moral de ses camarades du camp de concentration.

- J'avais la priorité, ce con de flic me donnera raison, dit Peters. Mais l'essieu de ma bagnole est peut-être faussé, je m'occuperai du dépannage plus tard. Nous voilà transformés en piétons. Nom de Dieu, Vitry, que tu es maigre.

Conscient d'avoir gaffé en répétant sa remarque, il ajouta avec un sourire:

- Une question de nature, je suppose. Les promeneurs pourraient nous prendre pour don Quichotte et Sancho Pança, sauf que nos rossinantes sont en panne. Je vais rejoindre des amis aux courses. Et toi ?

- Moi aussi.

- En route. As-tu idée qui gagnera le Derby ?

- Le favori.

Il n'y avait pas un nuage au-dessus des frondaisons du Bois de la Cambre. Vitry s'efforçait de calquer le pas sur les grandes enjambées de son compagnon, bientôt sa respiration devint haletante. Peters s'en aperçut, il le saisit par le bras d'une main ferme et ralentit l'allure. Au soulagement de Vitry, il ne lui redemanda pas pourquoi il était à Bruxelles. Il pensait certainement au camp dont il n'avait pas prononcé le nom, à leurs épreuves subies en commun, à ce passé de l'ombre qu'il préférait refouler. Vitry le revoyait dans sa tenue de forçat devenue si ample qu'elle flottait pendant qu'il bêchait avec la dextérité de l'expérience. Lorsqu'on titubait d'épuisement, il se mettait à parler pour distraire les copains, il décrivait l'exploitation horticole de ses parents à Gand, les azalées cultivées avec amour dans des serres chauffées à la température adéquate en vue de l'exposition quinquennale des Floralies de 1940 qui n'avait pas eu lieu à cause de l'invasion allemande. Un jour que les odeurs fétides fumaient sous le soleil, il raconta qu'il avait créé une variété de roses d'un parfum si subtil qu'il l'identifiait les yeux fermés. Même les déportés insensibles au langage des fleurs oubliaient à l'écouter leur corps meurtri.

Peters reprit:

- Si on me l'avait dit, il y a trois ans, que nous irions bras dessus, bras dessous aux courses par un beau dimanche de printemps, j'aurais hurlé au fou. Pourtant nous voilà bien vivants et c'est grâce à un stupide accident que nous sommes réunis. Tu sais, je désespérais de te retrouver. A la Noël 46 j'étais de passage à Paris pour mes affaires, je me suis souvenu qu'avant la guerre tu dessinais des décors et des costumes au théâtre Marigny. J'y ai demandé de tes nouvelles, ton nom ne disait rien à personne.

- Noël 46 ? J'étais au sana en Savoie. Tubard. Aujourd'hui je suis guéri, je m'essouffle seulement assez vite.

Il buta. Peters l'obligea de s'arrêter sous le prétexte transparent d'essuyer la poussière de ses souliers. Un geste fraternel comme là-bas lorsqu'on s'écroulait à bout de résistance et qu'il venait s'étendre près de vous, apporter le réconfort de sa présence, une lueur amicale brillait dans ses yeux limpides, il murmurait «tu le peux si tu le veux», on se ressaisissait pour ne pas le décevoir.

- Tu as eu le bras cassé par une brute la veille de notre libération, dit Vitry. Le bras gauche ?

- On a dû l'opérer à mon retour. Peters fit des moulinets du bras gauche. Rafistolé. Je n'ai pas été opéré tout de suite, j'étais dans un drôle d'état en rentrant, un squelette. Je me suis jeté sur la nourriture, une boulimie incroyable, je ne pouvais m'empêcher de manger et j'ai grossi d'un kilo par jour. Naturellement le foie, les reins, ma carcasse entière trinquaient, je souffrais de l'oedème de la faim. Je n'osais pas me peser. Soudain, miracle, je ne prenais plus un gramme, je montais ravi sur la bascule sans redouter son verdict. La nuit où l'aiguille s'est stabilisée à quatre-vingt deux kilos, j'ai fait un second gosse à ma femme. Une fille très mignonne six ans après notre garçon. Et toi, tu as des enfants ?

- Non, j'ai divorcé.

Ils marchèrent en silence. La foule se pressait aux guichets de l'hippodrome. Vitry sortit son abonnement.

- Tu es un fervent des courses ? dit Peters. Tu m'avais caché que tu es joueur.

- Je ne parie que si j'ai un tuyau increvable.

- Ça existe ? Tu as un tuyau pour moi ?

- Joue «Job» dans la cinquième.

Il faillit ajouter, tant Peters inspirait confiance, qu'il venait aux courses en service commandé miser pour le compte de Bourdillon, un autre rescapé de Mauthausen, qui le rémunérait par un pourcentage sur les gains. Il se retint, il avait promis le secret à Bourdillon et serait humilié d'avouer au prospère Peters que sa pension d'invalidité était si dérisoire qu'il avait besoin pour vivre des commissions de leur ancien camarade.

Ils allèrent examiner les fluctuations de la cote que vociféraient les bookmakers.

- Je ne m'y connais pas, dit Peters. «Ma Poupée», c'est un joli nom. Que penses-tu de «Ma Poupée» ?

- C'est une pouliche capricieuse. Elle n'a pas gagné cette année, mais elle ne manque pas de qualité. Je lui accorde une petite chance d'outsider.

- Une petite chance, donc une chance. Je la joue. Peters pointa le doigt vers la poche de son camarade. Ça alors, je te surprends en flagrant délit d'emporter un bouquin aux courses. Tu y puises tes tuyaux ?

Vitry aurait rougi s'il pouvait encore rougir. Il ne désirait pas que Peters sache qu'il lisait Eschyle. La sonnerie invitant les jockeys à se mettre en selle retentit et Peters se précipita jouer «Ma Poupée». Vitry alla s'asseoir à l'écart où personne ne s'aviserait qu'il s'intéressait davantage au «Prométhée enchaîné» qu'à regarder courir «Ma Poupée».

Après le Derby que le favori enleva sous les clameurs, les deux hommes se rencontrèrent au paddock.

- «Ma Poupée» m'a donné une fameuse émotion, s'écria Peters. Elle s'est détachée dès la sortie du deuxième tournant, mais pour résister à l'attaque d' «Iscariote» à cent mètres du poteau son jockey l'a cravachée, elle a fait un écart et a été battue d'une courte tête. Pas de chance. Je compte me rattraper avec ton «Job». A tout à l'heure.

Ils n'eurent plus l'occasion de se parler. Vitry n'avait pas voulu relancer Peters qui escortait une dame élégante, il remarqua simplement que Peters n'avait pas demandé son adresse à Bruxelles et que leur complicité s'était réduite à jouer «Job» dans la cinquième.

Les bruits de la cité active se fondaient en une rumeur de vagues sur une plage de galets. De son quatrième étage, Vitry pouvait apercevoir la flèche gothique de l'Hôtel de Ville. Torse nu, un peu penché vers le miroir fixé à un clou, il se rasait. Il n'éprouvait plus ce matin la vieille peur de son image dans un miroir, il était délivré de la peur d'y déceler les stigmates du passé, la balafre indélébile qu'un coup de matraque avait imprimée à sa joue, les côtes saillantes sous la peau tendue. Hier, au retour des courses, un déclic s'était produit aussi net que la lumière d'une lampe qui s'allume si on tourne le commutateur. Un déclic comme celui qu'avait connu Peters lorsqu'il avait cessé de s'affoler devant l'aiguille de la bascule.

Déjà en gravissant les quatre-vingt marches de l'escalier qui menait à sa chambre, il pressentait une révélation. Pour calmer le tumulte de son impatience, il s'était dirigé vers la fenêtre ouverte inspirer et expirer selon la technique apprise au sanatorium. Après avoir accroché son veston à un cintre, enlevé ses chaussures, dénoué sa cravate, il s'était allongé sur son lit, prêt à accueillir le signal attendu.

D'où viendrait-il ? Au plafond l'humidité avait d'hivers en hivers accumulé des taches aux contours imprécis. Vitry cligna des yeux pour les faire se mouvoir, s'entremêler, prendre la forme d'un motif, acquérir une signification. Sans aucun résultat, les taches demeuraient d'un blanc sale décourageant. Il inspecta alors la pièce avec l'impression de n'avoir guère regardé l'armoire bancale, la table, les deux chaises, le tapis usé. Une accélération des battements de son coeur l'alerta. Là, à même le plancher, gisait un sac à provisions en papier d'emballage brun clair. Il bondit du lit pour secouer le sac, le vider des boîtes de conserves qu'il contenait, en défroisser les plis, le poser à plat sur la table. Il resta immobile, debout, fasciné par la feuille de papier lisse, par cet espace vide de quarante centimètres de côté, se demandant comment il le remplirait.

Son hésitation se mua en certitude. A larges traits il esquissa au crayon les silhouettes de don Quichotte et de Sancho Pança. Mais sans visages, il n'osait pas dessiner les visages. Pas encore. Seraient-ils le sien et celui de Peters ? La tentation était forte, son ami avait évoqué leur ressemblance avec les héros de Cervantès. Pensant à eux, Vitry se persuada que l'imagerie populaire ne correspondait pas à la vérité des deux personnages, ils devaient être beaucoup plus jeunes que ne les représentaient les caricatures, l'un avec une barbiche grisonnante, l'autre doté d'une bedaine d'homme mûr avachi par la gourmandise. On ne se lance pas dans des aventures de chevalier errant si on n'a pas l'impétuosité de la jeunesse. Ils avaient sans doute la trentaine, le même âge que nous, s'était dit Vitry, étourdi de cette découverte.

Les ébauches de leurs silhouettes lui déplurent, elles lui rappelaient ses dessins stylisés d'autrefois pour les costumes de la Sainte Jeanne de Bernard Shaw. Il fallait recommencer.

Le recto du sac à provisions portait le sigle d'un grand magasin de la rue Neuve. Vitry découpa l'emballage au canif, de nouveau une feuille de papier vierge le défiait. Sans effort il donna à Sancho Pança la carrure de Peters et, de mémoire, put rendre sa bonne bouille de terrien optimiste. Mais il avait été impuissant à faire son propre portrait fût-ce sous le déguisement de don Quichotte. Il ne l'avait pas tenté, il n'était pas don Quichotte.

Son arme, un crayon, tremblait entre ses doigts. Il renonça, il voulait d'abord voir clair en lui, trouver la cause de l'élan qui l'avait poussé à dessiner pour la première fois depuis deux ans, depuis son hospitalisation au sana.

Il s'étendit dans la fraîcheur du crépuscule. Le silence résonna d'une phrase d'Eschyle au sujet de Prométhée: «ce n'est qu'après le supplice qu'il sortira des fers». Songeant à lui-même, Vitry s'interrogea. Son supplice n'avait pris fin après la libération de Mauthausen que pour se renouveler sous la forme de la maladie qui exclut du monde et mine la volonté. Ayant sombré dans la solitude, il n'avait pas pu rompre les chaînes du passé. C'était lui l'ennemi comme l'attitude de Peters l'avait démontré. Sans chercher à dissimuler son étonnement qu'il n'ait que peu changé d'aspect si longtemps après «là-bas», Peters ne s'était pas attardé aux apparences. Il avait balayé le passé puisque Vitry s'était déclaré guéri. Un homme en bonne santé ne connaît que le présent qu'il sait multiple, impossible à partager comme au camp où l'on unissait toutes ses énergies pour sauver un bien unique, la vie. On peut mettre en commun l'extrême dénuement, pas la richesse et ses inégalités. Même l'amitié qui exige le partage ne survit qu'en veilleuse dès la fin du cauchemar. Parfois sa flamme se rallume, on s'y réchauffe ensemble un bref instant, déjà elle retombe et on perçoit que l'amitié se survit. Ce n'était pas un drame. Peters avait eu raison de ne pas procéder à un échange factice d'adresses qui aurait souligné combien leurs existences divergeaient désormais.

- Lui, monologuait ce matin Vitry en essuyant la mousse de savon séchée sur ses oreilles, il va de l'avant dans sa voiture de sport couvert par une assurance tous risques, y compris contre le passé. Il m'invitait à suivre son exemple et y est parvenu. Mon brave Sancho Peters a tourné le commutateur, la lumière m'a inondé, elle a refoulé dans l'ombre des inhibitions qu'il n'a pas soupçonnées. Peters et du papier d'emballage m'ont psychanalysé !

Il fit quelques exercices d'assouplissement, le sang affluait à ses joues. Il s'examina dans le miroir. Pas si mal. Les yeux noirs sous les sourcils en broussailles brûlaient d'une assurance reconquise, la peau hâlée n'était pas celle d'un Lazare ressuscité ni le corps dont la maigreur pouvait s'appeler sveltesse. Un homme jeune. Et libre. Plus libre que Peters asservi aux corvées d'une expertise des dégâts de son auto, le pauvre Peters qui ne savait pas dessiner, qui ne savourerait jamais l'énervement joyeux d'affronter les moulins à vent de l'imagination.

Ces pensées firent sourire Vitry. Il attacha à son poignet la montre-bracelet qu'à son départ d'Autriche une paysanne des environs de Linz lui avait donnée par gentillesse ou, peut-être, par peur qu'elle ne soit confisquée si les Russes occupaient son village. Leurs troupes s'étaient arrêtées quelques kilomètres plus à l'Est, elle aurait pu conserver sa montre. Il se dit sans conviction qu'il devrait se débarrasser de ce souvenir d'un autre âge.

Presque neuf heures. Vitry quitta la chambre sans un regard pour la feuille de papier beige qui, face en dessous, recouvrait à demi la table. Il alla prendre le petit déjeuner chez la boulangère du coin et fut déçu qu'elle ne se soit pas écriée qu'il avait une mine superbe. A neuf heures pile, il téléphona à Bourdillon qui hennit de plaisir en apprenant qu'il avait joué «Job» à du huit contre un. Aujourd'hui, pas de tuyau, dit-il, inutile de te déranger.

Avec Bourdillon, aucun problème. L'industriel limitait leurs rapports au pacte conclu lors de sa visite au sana l'hiver dernier. Entre anciens de Mauthausen, on ne s'encombrait pas de discours.

- Je suis un homme d'affaires, Vitry, avait-il affirmé sur la terrasse où ils prenaient le café, et je te propose un marché. Le jour où tu sors d'ici, tu viens à Bruxelles achever ta convalescence. J'ai un boulot pour toi qui n'est pas fatiguant. N'y vois pas un témoignage de reconnaissance d'avoir empêché un Kapo de m'abattre, on ne paie pas ce genre de dette. J'ai besoin de toi.

Bourdillon s'était expliqué. Il avait hérité quelques chevaux de course et ses seuls moments de détente étaient d'observer le dressage à l'aube de poulains inexpérimentés. Une passion innocente qui l'aurait comblé s'il n'en avait une seconde, hélas incompatible, la politique. Un candidat aux élections s'expose à la critique de ses adversaires de gauche s'il fait courir sous ses couleurs. Il avait donc dû céder son écurie à une cousine, d'ailleurs excellente écuyère, mais il assumait tous les frais et, bon dieu, ça coûtait cher. Le meilleur moyen de se procurer des rentrées supplémentaires était de parier lorsque son entraîneur, qui travaillait pour plusieurs propriétaires, voyait une chance sérieuse à un cheval.

- Comme je ne peux le faire moi-même, avait-il précisé, je dois charger une personne de confiance et discrète de jouer à ma place. C'est pourquoi je te demande ce service. Si le canasson gagne, tu toucheras vingt pour cent du rapport net. S'il est battu, je supporte la perte. Je te préviens, les séries noires sont plus fréquentes que les coups sûrs, je ne te garantis pas de plantureux revenus.

Heureusement, se disait Vitry revenu à sa chambre, que «Job» n'était pas un tocard. Les 20% sur le gros pari de Bourdillon tombaient bien, cet argent lui permettrait de réaliser des projets. Par exemple acheter un attirail complet de peintre. Il sortit d'un tiroir les billets de banque qu'il y avait entassés pêle-mêle, il les compta, ébloui de posséder une fortune, modeste aux yeux de Peters ou de Bourdillon, suffisante pour rêver.

Il déchira en petits morceaux les esquisses de la veille, le Sancho Pança au sourire benêt et le don Quichotte sans visage. Leur rôle d'exorciste était terminé.

A la fenêtre de la maison d'en face une jeune femme, bras nus, battait une couverture rouge dont s'échappaient des nuages de poussière. Elle leva la tête, le vit et cessa d'agiter la couverture. Comme la rue n'était pas large, Vitry pouvait distinguer sa moue réprobatrice, elle semblait scandalisée qu'il paresse un lundi où les hommes sérieux travaillent. Une conformiste ! Il adressa un salut à l'accorte demoiselle, il lui prêtait l'effronterie de la Toinette du «Malade Imaginaire». Elle ne daigna pas y répondre, les Toinette se désintéressent des malades guéris qu'on ne peut morigéner.

La nostalgie du théâtre le submergea, la nostalgie d'arpenter un plateau nu avec le metteur en scène à discuter de la conception du spectacle qu'on va monter. Bientôt les personnages s'animent, leur caractère se dégage, ils prennent la parole, plus attachants que les marionnettes humaines qu'aucun destin n'attend. Et lorsqu'on les a sondés jusqu'au fond de l'âme, qu'on les connaît mieux que soi-même, il faut les aider à vivre, à lutter, créer le décor où ils bougent, des meubles et des objets chargés de sens, réussir une synthèse qui met d'emblée le public dans l'atmosphère. Une règle d'or quelle que soit la pièce choisie.

Vitry décida de relire Pirandello dans le Parc où, par beau temps, il s'installait toujours sur le même banc. Il emprunta l'itinéraire qui passait devant le Comptoir Artistique. A la vitrine du magasin s'étalaient autour d'une Vénus de Milo en plâtre des palettes, des tubes de couleur, des pinceaux, des blocs de dessin. Les prix n'étaient pas affichés. Il n'entra pas dans la boutique, il avait perdu l'habitude de faire des emplettes autres qu'alimentaires, de dépenser son argent. Serait-il devenu avare ? Ou ne voulait-il pas, pas encore, s'astreindre à une tâche dont il serait le maître et l'esclave ?

Il aimait son banc peint en vert de l'allée centrale du parc, dos au kiosque à musique, à égale distance du petit bassin où des poissons rouges pointaient entre les feuilles des nénuphars et le grand bassin qui accueillait la navigation incertaine de voiliers que des gosses trop jeunes pour l'école lâchaient avec l'espoir et la crainte d'un naufrage. Les gens à cette heure matinale traversaient le Parc sans se laisser distraire de leurs préoccupations. Vitry se disait qu'il était seul à jouir de l'équilibre des lignes tracées par les larges allées aux pelouses presque anglaises et de l'élan des arbres épanouis dans la lumière.

Mais il ne vagabondait pas qu'en esprit parmi les ormes et les hêtres, il guettait l'arrivée de la jeune blonde, de son petit garçon et de son chien. Ils furent ponctuels et le manège se répéta. La jeune mère s'assit à l'autre extrémité du banc pour tricoter le chandail commencé depuis une semaine, le bambin dessina dans la poussière avec une baguette de tambour, le chien attaché par une longue laisse à la voiture d'enfant se coucha. Au début Vitry avait redouté que le bébé devînt familier avec le Monsieur du bout du banc, qu'une conversation banale s'engageât. Il n'en avait rien été, il ne suscitait pas la curiosité. Le chien à tête de lion trouva aujourd'hui confortable d'appuyer le museau sur son pied. Un chow-chow, avait dit une dame en le désignant à sa fille. Corinne affirmait jadis que les chow-chow sont souvent méchants, qu'on ne peut pas se fier à leur air bonasse.

Corinne... Elle avait peur des chiens et des ivrognes, pas de la Gestapo. Elle s'était magnifiquement conduite sous l'occupation, fidèle au réseau de partisans malgré le danger, même après les arrestations qui l'avaient décimé et les risques qu'elle courait quand il avait été lui-même déporté. Pourquoi n'avait-elle pas eu autant de courage en apprenant sa maladie ? Dans l'exaltation du retour de Mauthausen, il avait trouvé la force de collaborer au dispositif scénique du «Soulier de Satin», un travail immense et passionnant. Au fil des jours il sentait son corps flancher, il le cravachait avec la volonté de terminer l'ouvrage. En cachette de Corinne, il avait consulté un médecin qui lui avait enjoint de partir d'urgence à la montagne. C'était trop lui demander, il avait tenu bon. Corinne ne remarquait rien. Il entendait sa voix heureuse dans le taxi qui les ramenait du théâtre après la première représentation. «Un triomphe ! Je suis fière de toi. Ta carrière sera éblouissante. Nous allons célébrer ça. Je te réserve une surprise: un Brie fait à point et une bouteille de Saint-Emilion qui a survécu à la guerre».

Il n'avait pas répondu. Quand elle était entrée au salon avec le fromage et le vin, elle l'avait trouvé étendu, un mouchoir tâché de sang contre la bouche. Elle s'était figée, son plateau tremblait, elle ne détachait pas les yeux du mouchoir. «Les deux poumons sont atteints, avait-il murmuré. Le médecin se montre pessimiste, il dit que l'organisme usé des revenants des camps de concentration résiste mal à une tuberculose qui se déclare tardivement. Il m'envoie en altitude sauvegarder une mince chance de reprendre le dessus». Corinne avait posé le plateau sur le tapis et s'était accroupie près de lui. «Je m'excuse de gâcher cette soirée, avait-il ajouté. Si je dois crever je préfère que ce soit au sana plutôt qu'ici». Elle avait dit d'une petite voix: «Je te défends d'abandonner la lutte. Tu seras vite guéri. Une épreuve de plus, voilà tout. Un entracte». L'entracte s'était prolongé. Sa santé ne s'améliorait pas, il défendait à Corinne de venir le voir, puis avait cessé de répondre à ses lettres. Le jour où un avocat lui écrivit qu'elle désirait divorcer il avait marqué son accord par retour du courrier. Le lendemain il respirait mieux.

La jeune femme qui défaisait les mailles de son tricot ne ressemblait pas du tout à Corinne. Vitry était séduit par son profil de madone flamande, sa nuque penchée sous la masse des cheveux blonds. Il était rafraîchissant qu'elle soit replète et molle, peut-être stupide, en tout cas incapable d'imaginer qu'à un mètre d'elle il avait pensé que la maladie avait été comme les nazis, l'ennemi à combattre.

- Laisse le toutou tranquille, ordonna-t-elle à son fils qui s'approchait du chien endormi pour le caresser.

Elle était stupide, se disait Vitry ravi. A-t-on idée d'appeler «toutou» un chow-chow et de l'enchaîner à une voiture d'enfant. Cette poupée inoffensive devait fermer les yeux si on la couchait pour faire l'amour. Il ne désirait pas jouer à la poupée. Ni lire Pirandello. Il remua le pied gauche qui s'ankylosait, le chien grogna, dérangé dans son sommeil. La sagesse était de rester immobile.

Des cris le firent sursauter. Le gosse était tombé, son genou écorché saignait. Sa mère essaya de nettoyer la plaie, mais il fallait la désinfecter.

- Pardon, Monsieur. C'était à Vitry qu'elle s'adressait. Je file à la pharmacie de la rue de Namur, nous reviendrons dans un moment. Merci de surveiller le chien.

Elle n'attendit pas son accord et partit, portant le bébé qui pleurait. Le chien aboyait, il tirait violemment sur sa laisse. Vitry maintint la voiture d'enfant de peur qu'elle ne capote. «Du calme, toutou», dit-il très bas parce qu'il avait horreur du mot toutou et que les chiens ont l'oreille fine. Sans succès. Il essaya de mettre la main sur la tête de l'animal qui se jeta de côté, de plus en plus excité. La laisse s'entortillait dans ses efforts pour se dépêtrer, il fut coincé contre une roue. Des passants s'étonnaient de l'impuissance de l'homme à dégager la pauvre bête ligotée qui gémissait. Vitry s'énervait, il était impossible de défaire les noeuds de la laisse. Il décida de la décrocher du collier plutôt que de s'acharner en vain. Le chien ne bougeait plus, il devinait l'intention de ce maladroit de le libérer.

Vitry a détaché la laisse, il retient le collier d'une main et se redresse pour souffler. Le chow-chow, d'une secousse brutale, lui échappe, il est déjà hors d'atteinte. Il s'ébroue et, conscient de son évasion, il se met à courir en rond sur l'herbe de la pelouse. Les cercles qu'il décrit s'agrandissent, il s'amuse, le lion roux. «Ici toutou», crie Vitry qui commence à s'inquiéter. Le chien est tombé en arrêt, il a aperçu un caniche blanc, tondu avec art, il se précipite vers lui, aboie, le débusque de l'abri des gros mollets de sa maîtresse, le caniche détale, la poursuite s'organise. D'où sortent tous ces chiens ? Ils sont trois, quatre, cinq qui foncent dans la ronde, un carrousel, le chow-chow aboie, tous les chiens aboient, le bruit des aboiements est assourdissant. La dame au caniche répète «aux pieds, Capi, aux pieds», la foule s'amasse dans l'allée, un gardien du parc arrive, il boite, il brandit sa canne du geste dérisoire d'un chef d'orchestre cherchant à neutraliser des musiciens déchaînés. Quelle pagaille ! Des inconnus furieux engueulent Vitry qui tient la laisse dont l'autre bout est toujours fixé à la voiture d'enfant, ils lui hurlent d'appeler son chien, de faire quelque chose, mais que peut-il faire, il n'a pas demandé à garder ce maudit cabot, qu'on lui foute la paix, nom de Dieu, qu'on lui foute la paix.

Hors d'haleine le caniche s'affale, sa patronne le cajole, elle lui dit qu'il ne doit pas suivre les mauvais exemples. Le chow-chow continue à tourbillonner, il court plus vite que ses camarades, il les dépasse sans les bousculer. Un lion ! Les petits chiens s'épuisent, tour à tour ils se couchent sur le gazon, la langue pendante. Le chow-chow tourne tout seul, grisé du bonheur d'être libre.

- Monsieur, vous n'avez pas honte !

La jeune femme remorquant son fils au genou bandé n'est plus une madone placide, son visage crispé est méconnaissable. Elle traite Vitry de vilain bonhomme, de fou, il n'est pas permis de lâcher ainsi un chien.

- Mais, Madame appelez-le vous-même, votre toutou.

- L'appeler ! Il me dit de l'appeler ! Vous n'avez pas compris que mon chien est sourd.

Le chow-chow était sourd. La première pensée de Vitry fut qu'il avait de la chance, le chow-chow de ne pas entendre qu'on le nommait toutou. Exaspérée de le voir sourire, la péronnelle blonde lui arracha des mains la laisse et, l'ayant détachée, lança son extrémité au chien qui la saisit entre ses dents et se fit capturer

- Viens, dit-elle à son moutard , nous ne restons pas ici, tu pourras jouer plus loin.

Vitry les regarda s'éloigner, la femme, l'enfant et le chien. Le chow-chow trottinait et secouait sa crinière rousse, de nouveau enchaîné en punition d'être sourd. L'ordre était rétabli.

Il y avait près du petit bassin une échoppe où l'on vendait des friandises. Vitry acheta une galette dorée, elle avait un goût rance. Il l'émietta pour les poissons rouges qui nageaient parmi les feuilles de nénuphars. Il se dit que Peters avait eu raison de ne pas lui demander son adresse.

DES PIERRES DANS LE SOLEIL

A cinq heures la sirène de l'usine retentit. Aussitôt le bruit des machines cessa.

- Week-end, dit Ted. Stop

La main de Jean Lucart se crispa sur un levier de contrôle. Quelle connerie d'arrêter le travail au moment où le four allait atteindre la température idéale après tant d'efforts pour le régler. Il râlait à la pensée de tout recommencer lundi.

Ted sifflotait en frottant ses doigts poissés d'huile à un chiffon de coton, il était pressé de rejoindre une fille de la comptabilité. My girl is waiting, dit-il, John devait comprendre qu'il ne pouvait faire attendre sa môme. Jean comprenait. On est pressé de filer le vendredi, seul un étranger redoute d'avoir à tuer l'ennui du week-end en Angleterre.

Sous la douche Lucart laissa l'eau ruisseler sur sa nuque, sur ses épaules, il se décrassait de la fatigue d'une rude journée. Réussir le démarrage d'une fonderie de bronze n'était pas une mince affaire. On le savait à l'atelier, on témoignait de la considération au spécialiste venu de France et Ted, le contremaître, s'était tout de suite passionné. Jusqu'à ce que la sirène annonce le week-end.

Lucart s'attardait sous la douche. Il avait le temps d'affronter cette soirée vide de juillet, le temps de relire la lettre de sa mère à l'aise devant un verre de bière blonde.

Il quitta l'usine parmi les derniers et se dirigea vers le pub où, chaque soir il se désaltérait le boulot terminé. La bière était fraîche. Il but accoudé au comptoir, selon l'usage Anglais.

- Tâche de revenir vite, écrivait sa mère. Martine est bizarre. Elle ne veut pas me dire pourquoi. Je suis inquiète.

Lucart remit la lettre dans son portefeuille. La mère s'inquiétait facilement. Elle n'aurait pas dû écrire juste ces derniers mots, c'est différent quand on se parle, on peut lui répondre qu'elle exagère. Elle le savait bien qu'il est impossible de prévoir le temps que prend le montage et le réglage d'une installation complète, ce n'était pas la première fois que son absence durait une semaine. A condition que tout marche sur des roulettes, il serait de retour à Paris mercredi pour dîner avec Martine. Il se promit de ne pas poser de questions, on agace les filles de quatorze ans si on les interroge. Alors on se tait. Parfois il surprenait Martine à le regarder pendant qu'ils relavaient ensemble la vaisselle, elle non plus ne posait aucune question comme si elle ignorait que Thérèse vivait. Six ans que Thérèse était partie et Martine n'avait jamais demandé des nouvelles de sa mère. Six ans déjà. Par conséquent le fils idiot de l'officier allemand auquel se dévouait Thérèse aura bientôt six ans.

Pourvu que la mère n'ait pas parlé de Thérèse à Martine, se disait Lucart. Il décida de faire un détour avant de regagner sa chambre chez Mrs Clarke et marcha lentement pour réfléchir. C'était à lui d'expliquer à Martine pourquoi le jour de la Libération de Paris en août 44 Thérèse s'était enfuie. Ce jour là on entendait des coups de feu dans les rues, Lucart avait dû se cacher d'un groupe d'Allemands qui tiraient au hasard en foutant le camp. Arrivé devant sa maison il avait levé la tête, la fenêtre du cinquième était ouverte. La vieille Madame Tricot du rez-de-chaussée avait crié à son passage d'être prudent, sur le moment il n'y avait pas fait attention, il ne pensait qu'à embrasser sa femme et sa fille, joyeux de leur montrer la croix de guerre gagnée en combattant sous les ordres du Général Leclercq. Thérèse était seule dans l'appartement. Un fichu noué autour de sa tête ronde lui donnait un air d'oiseau, ses yeux d'acier s'étaient durcis à sa vue, elle ne le reconnaissait pas ou ne voulait pas le reconnaître ? Il se souvenait d'avoir murmuré, son élan vers elle brisé, «c'est moi, Jean». Comme elle ne bougeait pas il avait dit qu'il apportait des provisions et sorti de sa musette du café, du chocolat, des cigarettes. Thérèse était immobile de l'autre côté de la table où il empilait des boîtes de conserve, elle l'observait. Soudain elle avait arraché le fichu qui lui couvrait la tête et crié «Ils m'ont tondue, tu sais ce que ça signifie ?» Oui, il le savait, on lui avait raconté qu'on rasait les cheveux des femmes qui avaient couché avec les Allemands. Il était épouvanté par le crâne nu, il pensait «pas toi, Thérèse, ce n'est pas possible», il ne parvenait pas à dire un mot, ses cheveux avaient été si beaux. Thérèse jetait pêle-mêle des vêtements et des objets dans une valise, elle avait mis un chapeau d'avant la guerre, à cet instant une fillette était entrée et Thérèse s'était précipitée dehors avec sa valise. L'enfant avait les mêmes yeux gris qu'elle, son regard allait du soldat en uniforme aux vivres étalés sur la table. Il avait murmuré «je suis ton Papa» et lui avait donné du chocolat. Après sa démobilisation ils avaient déménagé, dans le nouveau quartier on le croyait veuf.

A un kilomètre de Pillington le chemin serpentait en bordure de la Slow, une gentille rivière qui coulait entre les prés que l'été avait jaunis. Lucart s'assit sur la parapet d'un pont, les jambes pendantes, la Slow au soleil couchant avait des reflets de cuivre. Sa pensée revint à son boulot stupidement interrompu, les gens s'en foutent des difficultés qu'on rencontre pour accomplir une tâche délicate, on touche au but, une sirène hurle et on devra repartir presque de zéro. On ne peut même pas engueuler Ted histoire de passer sa mauvaise humeur.

Il se pencha, prit un caillou et le lança avec colère dans l'eau, puis un deuxième, un autre encore, sans essayer de faire des ricochets pour briser cette surface dorée qui le narguait.

- You are a naughty man, dit une voix derrière lui.

Lucart se retourna. Une petite fille se tenait près du parapet, il ne l'avait pas entendue approcher. C'était elle qui l'accusait d'être un homme méchant.

- C'est mal de jeter des pierres dans le soleil, dit-elle.

Lucart laissa tomber le caillou plat qu'il s'apprêtait à lancer.

- Comment t'appelles-tu ? demanda-t-il.

- Judy.

- Un joli nom.

Elle ne lui rendit pas son sourire, elle le surveillait. Judy avait environ huit ans, l'âge de Martine à la Libération.

- Tu vois, je suis sage maintenant, dit-il en montrant ses mains vides.

Elle n'était pas tout à fait rassurée.

- Maybe.

Il y eut un silence. Le soleil déclinait, il n'éclairait plus la Slow.

- Je dois rentrer, ma Maman m'attend, dit Judy.

Lucart la suivit des yeux. Elle ne se retourna pas. Il ramassa un caillou, le fit sauter dans sa paume et le fourra en poche.

Lucart poussa la porte entrebâillée. Il posa dans un coin sa mallette de cuir, le cadeau du directeur d'une grosse boîte autrichienne pour le remercier d'un dépannage de nuit.

- C'est moi, cria-t-il.

La machine à coudre ne s'arrêta pas immédiatement. Lucart se dit qu'il en offrirait une électrique à sa mère s'il obtenait une gratification.

- Tu as été long à venir. Tu as reçu ma lettre ?

Elle avait relevé ses lunettes de presbyte sur le front.

- J'arrive droit de la gare. Chez les Anglais on ne fait pas d'heures supplémentaires, ils ont d'autres règles que nous et ça retarde les choses. La poste marche bien, j'ai reçu ta lettre vendredi.

Le café était sur le feu, la mère avait conservé ses habitudes. Ils parlèrent de la sécheresse, les curés de campagne priaient pour qu'il pleuve, dit-elle. La jeunesse profitait des vacances, elle se rôtissait au soleil. Martine irait camper en Savoie avec les éclaireuses, ça venait de s'arranger, elle aura beau temps dans les montagnes.

- Où est Martine ? demanda-t-il.

- Dès qu'elle a su par ton télégramme que tu rentrais ce soir, elle est retournée à l'appartement. Elle s'y sent plus libre qu'ici. Trop libre.

- Pourquoi étais-tu inquiète ?

- Tu ne vas pas me le reprocher, hein. Le lendemain de ton départ la petite s'est fait faire une nouvelle coiffure. Ce n'est pas tout. Elle a dépensé le reste de son argent pour s'acheter des bas nylon.

- Tu t'es fâchée ?

- Martine était fière d'avoir expliqué au coiffeur, Mario qu'il s'appelle, comment il devait lui couper les cheveux. Moi je lui ai dit qu'elle est trop jeune pour gaspiller ses sous chez un coiffeur italien et qu'à son âge on n'a pas besoin de bas nylon, en été il est stupide de mettre des bas. On commence par les bas de luxe, puis on se peint la figure, bientôt on n'a plus un rond, on sait où ça vous mène. Il ne faut pas chercher bien loin... Elle m'a regardée d'un drôle d'air, j'ai cru voir Thérèse qui me regardait ainsi quand je lui disais de ne plus fricoter avec son Allemand en janvier, non en février 43. Elle m'avait apporté un sac de charbon, on sait comment elle l'a eu, son charbon. Jean, écoute, tu dois parler à Martine.

Lucart avait vidé une seconde tasse de café. Il repoussa sa chaise et se leva

- Il n'y a personne comme toi pour le café. En Angleterre, il est de la lavasse, j'ai bu du thé. Il est temps que je parte.

Sur la plate-forme de l'autobus des jeunes filles vêtues de robes légères et affreusement maquillées rigolaient. La mère avait sans doute raison de critiquer Martine, se dit Lucart, et tort de ne pas vouloir la comprendre, on a tort d'être sévère avec les enfants si on ne les comprend pas. Thérèse aussi il fallait essayer de la comprendre pendant l'occupation. La vie n'était pas simple, on manquait de tout. Elle apportait du charbon à la mère et la mère l'acceptait en disant «ton mari se bat contre les Allemands tandis que toi...» pour se donner bonne conscience. La vie n'est pas juste, on condamne Thérèse ou Martine sans leur parler. Depuis deux ans que Lucart avait enfin retrouvé Thérèse dans l'Oise, il y avait toujours le silence entre eux. Même après l'amour. Elle allumait tout de suite une cigarette et s'écartait de lui comme si elle avait peur d'être nue et qu'il en profiterait pour la questionner. Une fois elle avait soupiré «on ne peut rien changer à rien» il avait espéré qu'elle continuerait, mais non elle s'était mise à fumer cigarette sur cigarette. Que penserait la mère si elle apprenait qu'en secret il couchait avec Thérèse depuis deux ans.

Martine lui sauta au cou.

- Enfin, vieux père, te voilà.

- Dis donc qu'as-tu fais à tes cheveux ?

- Je te plais ?

Elle était ravie qu'il ait remarqué sa nouvelle coiffure et joua la coquette. La gaieté contagieuse de Martine le désarmait, il entra dans le jeu.

- O Mademoiselle, vous belle, vous jolie, dit-il avec l'accent anglais. J'ai une petite cadeau pour vous.

Une excellente soirée en tête à tête. Lucart décrivit Ted et l'atmosphère des pubs britanniques, Martine raconta que le père de Clo, son chef de patrouille, les avait conduites à la piscine en voiture, une bagnole formidable, avec un chauffeur devant, on se croyait des actrices de cinéma. Sur le conseil de Clo elle s'était fait couper les cheveux chez Mario, le coiffeur à la mode que Clo appelait Figaro.

Lorsque Martine fut couchée, Lucart alluma sa pipe. Elle n'avait pas avoué les bas nylon. Etait-ce un manque de courage de ne pas lui dire que sa grand-mère avait raison d'être mécontente qu'elle dépense ses économies à l'achat de bas en été. De son côté il n'avait pas confessé que Judy l'accusait de jeter méchamment des pierres dans le soleil. Où est le vrai courage ? se demanda-t-il. Tout dépend du danger qu'on affronte. A la guerre on le connaît, on finit par s'y habituer, ça n'empêche pas qu'une trouille verte vous noue les tripes en montant à l'assaut de l'ennemi, et si vous n'êtes pas tué on vous décore pour avoir montré l'exemple aux camarades qui l'avaient autant que vous, la trouille. Ce n'était pas non plus du courage de revoir en cachette Thérèse malgré le gosse de l'allemand, aucune femme ne pouvait remplacer Thérèse, il l'avait dans la peau. Alors ? devrait-il parler à Martine, lui révéler toute la vérité et risquer de la troubler; ou continuer à être lâche en se taisant ? Ce soir comme hier il avait préféré penser que les enfants sont sans pardon pour le parent qui les abandonne et qu'il ne supporterait pas que Martine les juge, Thérèse et lui.

Lucart accompagna Martine à la gare de Lyon. «Je t'écrirai du camp», dit-elle, et elle courut vers son groupe d'éclaireuses, le corps penché en avant sous le sac à dos de treize kilos, ils l'avaient pesé ensemble. Une fille saine et bien bâtie, Martine.

A cause de son gosse, Thérèse avait accepté un travail mal payé dans un Centre pour enfants retardés près de Compiègne. C'était son jour de sortie, Lucart l'emmena déjeûner au bord de l'Oise.

- Pour mes deux semaines de vacances j'ai loué une chambre avec ce qu'il faut pour cuisiner, dit-il. C'est meilleur marché qu'à l'Hôtel des Touristes. Nous serons ainsi un peu chez nous.

- Un peu chez nous, répéta Thérèse, mais ces mots faisaient mal. Tu sais que je dois loger au Centre la nuit.

- Demande du congé. On te l'accordera.

- Je l'espère

Elle alluma une de ses éternelles Gauloises. Thérèse était sincère, elle désirait respirer loin de l'Institut, les nerfs s'usent à vivre en permanence parmi les enfants anormaux.

- J'ai eu un choc l'autre jour, dit-elle, quand les garçons du village ont plongé dans la rivière et s'y ébrouaient comme de jeunes chiens. Les moins handicapés des nôtres parviennent tout juste à barboter avec des flotteurs. Ils sont des malheureux pour toujours.

Après le repas ils s'allongèrent à l'abri d'un chêne. Thérèse croisa les mains sous sa tête, elle le laissa dégrafer sa blouse et la caresser. Il s'excitait. Ne va pas plus loin, Jean, dit-elle, pas ici. Ils étaient bien. Le temps s'écoulait si tranquille qu'on ne remarquait pas bouger l'ombre des arbres. Lucart pensait à Martine qui prenait un bain de soleil en Savoie.

- Martine s'est acheté des bas nylon, dit-il. Tout son argent de poche y a passé. Ma mère était furieuse.

- Ta mère voit le mal partout.

- Martine ne m'a rien avoué.

- La belle affaire. Pourquoi me racontes-tu ça ?

Thérèse reboutonna sa blouse et s'appuya sur un coude pour l'observer.

- Je me fais du souci. Sa vie avec moi ou avec ma mère pendant mes voyages n'est pas drôle. Martine a quatorze ans, elle subit l'influence d'amies de classe bourrées de fric, j'ai peur qu'elle m'échappe. Jusqu'à présent il n'y a pas eu d'étincelles parce que je suis faible avec elle. Qu'arrivera-t-il si je la gronde ?

- Pourquoi me dis-tu ça ?

- A qui veux-tu que je parle ? Tu es sa mère. Elle a tes yeux, tes cheveux.

- Tais-toi.

Lucart resta étendu sur le dos, il n'osait pas regarder Thérèse, elle pouvait lui demander: «tu veux que je revienne m'occuper de Martine, dis-le donc si c'est ça que tu veux». Il serait bien embêté. Il essaya d'imaginer Thérèse qui entre dans l'appartement qu'elle ne connaît pas, elle va d'un meuble à l'autre, curieuse, elle passe un doigt le long de l'appui de fenêtre pour montrer qu'il y a de la poussière et décide de changer les rideaux qui s'effilochent. Le film se déroule très vite. Martine paraît, hâlée, la tignasse en désordre, elle est stupéfaite d'apercevoir là une femme étrangère, elle va crier. Lucart soupira. Le retour de Thérèse ferait des dégâts. Il s'entendit dire à haute voix:

- J'en ai marre de nos rendez-vous clandestins. Ils ne sont pas défendus, nous sommes toujours mariés.

Thérèse s'était levée, elle écrasa du talon le mégot de sa cigarette.

- Viens, dit-elle. J'ai soif.

Ils marchèrent en direction de la ferme-modèle perdue dans les pâtures où Lucart avait loué une chambre. Les volets étaient clos. Thérèse se coucha sur le lit sans se déshabiller et Lucart s'assit, il sentait que l'avenir se jouait.

- Quand on m'a annoncé au Centre, il y a deux ans, qu'un visiteur m'attendait en bas, dit-elle, j'ai cru à une erreur, personne ne savait où j'étais. Je t'ai vu à contre-jour debout dans le parloir, tu t'es avancé vers moi en souriant, j'aurais dû fuir et je n'ai pas pu. Tu as dit que tu m'avais cherchée partout après ta démobilisation, tu semblais fier d'avoir réussi à découvrir ma retraite. Je ne détachais pas les yeux de ton visage, tu avais mûri, mais ta voix était celle d'avant. J'écoutais mal, j'espérais seulement que ta voix ne s'arrêterait jamais. Comme tu es peu bavard, le silence nous est tombé dessus. Je m'en souviens, nous sommes sortis, le soleil de midi brillait. J'ai remarqué ton regard sur mes cheveux, ils avaient repoussé avec des mèches claires depuis que tu m'avais vue le crâne rasé. Nous pensions tous les deux la même chose, ça m'a donné la force de te dire que j'avais un fils de Wilhelm, un officier blessé en Russie qui dirigeait les services de l'intendance à Paris, un enfant anormal par la punition du ciel. Je t'ai proposé de le désavouer, tu ne l'as pas voulu.

- J'ai dit que je me fous de l'opinion des gens.

- Il ne s'agit pas des autres gens ni de mon petit crétin. Il s'agit de Martine. Tu m'as montré ses photos, elle est plus grande que moi, n'est-ce pas, une fille indépendante qui s'achète des bas nylon sans permission. Que veux-tu que je fasse pour elle ? Je ne suis plus sa mère, Jean. Une mère donne tout comme je l'ai fait pendant l'hiver de la bataille de Stalingrad. J'étais heureuse qu'elle ait assez à manger, tant pis comment je me procurais la viande, le beurre... et les cigarettes. C'était pour Martine. Le jour où les jaloux n'avaient rien à craindre, ils m'ont tondue. J'étais d'accord de payer en supplément ce prix-là, mais ce que je n'ai pas pu supporter...

Thérèse s'était redressée. Sa voix tremblait.

- Je vais enfin te le dire, Jean, ce que j'ai sur le coeur. Le jour d'août 44 où tu es entré dans notre appartement, j'ai d'abord été frappée par ton uniforme, le premier uniforme français que je voyais depuis mai 40. Tu as dit «c'est moi», j'ai réalisé que nous avions survécu tous les trois. Et aussitôt que nous ne serions pas longtemps trois à cause de cet intrus qui allait naître. Je ne pensais qu'à ça. Tu avais l'air étonné que je ne te saute pas au cou, tu te taisais, puis tu as couvert la table avec du vrai café, des tablettes de chocolat, du sucre et des briques de savon, des tas de paquets de cigarettes américaines. Tu ne savais pas que tu étais cruel en étalant ces trésors qu'il t'avait suffi de prendre à la cantine. L'idée que tous mes sacrifices sous l'occupation n'avaient plus aucun sens m'a rendue folle de désespoir. J'étais là avec ma tête chauve et mon gros ventre, vous, Martine et toi vous alliez reprendre une vie normale où je serais de trop. Je le sentais, je ne pourrais pas oublier comme vous ces années de misère, je n'avais pas le droit de vous faire souffrir de mon passé. Il ne me lâchera pas tant que le fils de Wilhelm vivra.

- Mais il est comme mort. Une plante.

- Il est vivant. Ma place est près de lui. Je suis responsable.

- Et moi, je ne compte pas ?

- Toi, dit Thérèse en l'attirant contre son corps, tu es mon amant. C'est mieux qu'un mari, tu m'appartiens entièrement quand tu es là et il est si bon d'attendre avec impatience que tu reviennes.

- Tu as le truc pour escamoter les problèmes, dit Lucart.

D'UN NOM A L'AUTRE

Le ciel s'effaçait, la nuit était venue. Et pas de réverbère dans ce quartier. La lune ne sortira que plus tard.

Arnosch marchait d'un pas lent au milieu de la rue déserte. En bordure des trottoirs se dressait ça et là un pan de mur, ou plutôt une façade avec seulement du vide derrière. On avait déblayé les décombres mais respecté les façades anciennes qui avaient mieux résisté aux bombardements que les constructions modernes. Trois ans après la guerre on tardait à ressusciter le vieux secteur de ce patelin dont il oubliait le nom. Quelque chose se terminant par «heim».

Il était fatigué d'errer en aveugle et de trimbaler un paquet à bout de bras. On a beau être costaud, cinq kilos pendant deux heures pèsent lourd. Comme il n'avait pas voulu se séparer de son colis en entreprenant l'exploration de la ville inconnue, il fallait bien le coltiner.

La lassitude du jeune homme s'évanouit devant une petite maison isolée où brillait de la lumière au rez-de-chaussée. Il déposa son fardeau contre la façade intacte. Parmi les ruines et les espaces dénudés la lumière disait que cette maison vivait. Arnosch s'approcha de la fenêtre et regarda entre les rideaux mal tirés. Personne. Un salon bourgeois, un buffet massif. La lampe du plafond éclairait d'aplomb un livre ouvert sur la table de bois poli, un livre qui semble attendre. Si un coup de vent poussait la fenêtre, ses pages tourneraient toutes seules. Il n'y avait pas de vent.

Bientôt, rêvait Arnosch, une jolie fille va s'asseoir à la table pour lire le gros bouquin. Sans qu'elle s'en doute, il la verra sourire aux personnages imaginaires de son roman. Il est rassurant qu'une jeune femme lise un roman le soir, sous la lampe. A la contempler on éprouve moins le sentiment d'être en exil.

Le temps s'écoulait goutte à goutte, la jolie fille ne venait pas se pencher sur le livre abandonné, la lampe brûlait en vain. Arnosch n'eut plus de patience, sa fatigue renaissait.

Où aller dormir ? Il ne désirait pas dépenser pour se loger une partie des marks qu'on lui avait remis à Vienne avec des papiers d'identité en règle. Au Comité d'assistance aux réfugiés de l'Est on avait cru que, comme son compagnon de route, il fuyait la Tchécoslovaquie à cause du régime communiste. Vrai et faux, pensa-t-il en empoignant son colis. Un viatique, avait dit l'Autrichienne chargée de l'équiper, assez mignonne malgré ses lunettes.

Il se dirigea vers la gare. On ne fait pas attention aux gens qui passent la nuit dans une salle d'attente s'ils ont des bagages, on ne demande pas leur destination. Et c'est gratuit.

L'horloge marquait sept heures vingt lorsque le grondement d'un train le réveilla. Il s'étira, courbatu. Près de lui deux soldats fumaient, ils avaient la mine ennuyée de ceux qui affrontent un jour minuté d'avance. Ce n'était pas pareil pour lui, se disait Arnosch, tout était incertain et donc possible dans cette ville où subsistent tant de maisons à reconstruire, on y a sûrement besoin de main d'oeuvre et un charpentier parviendra bien à se faire embaucher.

Son voisin, le soldat moustachu, écrasa du pied le mégot de sa cigarette, bâilla et grommela quelques mots dans une langue étrangère. Arnosch devina que c'était du français.

Il se trouvait donc en zone française d'occupation de l'Allemagne. Une veine ! Avec les Français il est plus commode de s'arranger qu'avec les Anglais ou les Américains, sans parler des Russes, prétendait un journal de Brno. Il le sait par son bref séjour à Vienne, on se désintéresse de la Tchécoslovaquie à l'Occident, il est désormais coupé de son pays, de sa mère, de ce qui constituait son existence. Depuis qu'il a franchi la frontière, il ne possède que l'avenir.

Le matin on est prêt à l'aventure. Arnosch décida de garder son colis pour ne pas devoir le rechercher à la consigne si une occasion se présentait, quelle qu'elle soit. Il sortit, salua le soleil oblique d'avril et prit la grand-rue. Des trams jaunes circulaient, bondés, il était amusant de fendre à contre-courant la foule qui déferlait vers la gare. Les filles, tête nue, habillées de couleurs vives, portaient leur sac à l'épaule. La mode actuelle évidemment.

Une odeur chaude de pain se répandit. Arnosch s'était contenté de souper d'une paire de saucisses avec de la choucroute, il avait faim. Mais on faisait la queue à la boulangerie et il poursuivit son chemin. Les magasins s'espaçaient, la rue le mena à une place plantée d'arbres qu'il ne se souvenait pas d'avoir vue la veille, ni l'église à bulbe. Il s'arrêta, perplexe. Son sens de l'orientation serait-il moins infaillible en ville que dans la forêt où, enfant, il jouait à se perdre, en quête de pistes qui débouchent soudain sur des clairières secrètes. S'il craignait de s'être égaré, se dit-il, c'était qu'il avait un but, qu'il souhaitait arriver à un endroit déterminé. Quel autre but sinon la petite maison au-delà des façades aux yeux morts ?

Elle surgit. La porte était peinte en vert, il n'y avait pas de nom près de la sonnette. Arnosch déposa son paquet et regarda par la fenêtre. Une nappe dissimulait la table, le couvert était mis pour une personne avec un sucrier et un pot à lait, il ne manquait que la cafetière.

Qui allait paraître ? Ce fut une jeune femme en blouse blanche rayée de bleu avec la cafetière. Elle versa le café dans une tasse et s'assit. Arnosch la voyait de face, elle rompait une baguette de pain, enlevait la mie, étalait du beurre et du miel. Ses gestes avaient une précision merveilleuse.

Elle aperçut enfin sa silhouette sombre contre la vitre et tint son couteau en l'air, supposant qu'il s'en irait maintenant que leurs regards s'étaient croisés. Il ne bougea pas. Elle vint ouvrir la fenêtre.

- Was wollen Sie eigentlich ?

Ce qu'il voulait ? Qu'elle ressemble à son rêve, yeux très clairs et cheveux châtains, qu'elle continue à parler l'allemand avec un drôle d'accent. Il n'osa pas le dire.

- Excusez-moi. Vous non plus vous n'êtes pas d'ici ?

Ils n'étaient séparés que par l'appui de la fenêtre, elle le dévisageait. Arnosch regretta de ne pas être rasé, heureusement sa barbe était blonde.

- Ça sent bon le café, chez vous, dit-il.

- Je l'aime très fort. Et vous ?

- Moi aussi.

- Entrez donc.

Elle l'introduisit et lui versa du café. Il ne se rappelait pas avoir bu de café pareil. Il le dit.

- C'est ainsi que débute la journée, en France.

La jeune française l'encouragea à faire honneur au petit déjeuner et lui servit une troisième tasse de café. Arnosch se demandait pourquoi elle ne souriait pas de son appétit et demeurait silencieuse.

- Vous lisez tard, dit-il. Hier il y avait un livre sur cette table et personne pour le lire.

- Je me lavais les cheveux. J'ai repris ma lecture en les séchant.

- Moi, j'ai été attiré par la lumière au milieu des ruines. Je faisais le tour de la ville pour louer une chambre, j'ai dû dormir à la gare. J'arrive de Tchécoslovaquie, la semaine dernière j'ai passé clandestinement la frontière autrichienne. Ce n'est pas difficile.

- Je ne peux rien faire pour vous ?

Arnosch se raidit. Nom de Dieu, elle a pitié de lui. Il aurait dû s'en douter, ici on croit que les réfugiés sont de pauvres types et on offre aussitôt de les aider. Arnosch ne veut pas que la Française le plaigne, surtout pas ça. Elle a évidemment remarqué ses grandes mains, des mains d'ouvrier, elle ignorait quelle sorte d'homme il est quand elle l'a invité à boire son café. Il faudra lui expliquer...

- N'hésitez pas à me demander un service.

- Excusez-moi. Merci beaucoup. Peut-être... vous connaissez peut-être un coiffeur. Il se caressa la joue. Je ne suis pas rasé, j'ai l'air d'un sauvage.

- Un coiffeur ? Il y en a un pas loin de mon bureau. J'ai une auto, je vous déposerai.

- Merci. Pendant que je cherche une chambre, si vous le permettez je peux vous laisser mon colis ?

- Volontiers.

Elle débarrassa la table, rangea tout sur un plateau et quitta la pièce. Arnosch entendit couler de l'eau, elle faisait la vaisselle. A son retour, vêtue d'un manteau bleu, elle dit que les logements étaient rares, l'Etat Major français avait réquisitionné les hôtels et les gens se méfiaient, ils exigeaient des garanties pour une location.

- Revenez vers cinq heures. Je tâcherai de vous dénicher un coin à des conditions abordables.

Ils montèrent en voiture. Elle conduisait vite, très vite.

- C'est encore fermé, dit-elle en s'arrêtant devant la boutique d'un coiffeur.

A peine avait-il claqué la portière qu'elle démarrait. Une curieuse fille. Elle le faisait entrer chez elle sans songer à lui tendre la main ni à demander son nom. Les Françaises sont-elles comme ça, frêles et serviables et autoritaires ? En tout cas, pour le café, celle-ci était imbattable.

Jamais Arnosch ne s'était fait raser dans un fauteuil basculant. Le coiffeur avait une main artificielle. Tout en le savonnant il raconta que pendant l'hiver 1942, sur le front russe, on avait dû l'amputer de sa main gelée. La main droite, cela ne le gênait guère pour son travail, il était gaucher. Dans l'armée Allemande on vous déclarait inapte si on perdait la main droite, on l'avait donc démobilisé. Une chance de s'en être tiré à si bon compte, le régiment auquel il appartenait avait ensuite été massacré à Stalingrad. Grâce à la protection d'un cousin, nazi influent, il avait obtenu une prothèse ultra perfectionnée, de nouveau une sacrée chance. Le matin sa prothèse était froide, il la réchauffait au bain marie à la température du corps, la plupart des clients ne disaient rien.

- La science n'a pas permis que je reste un infirme, proclamait le coiffeur, ce sont les guerres qui accélèrent le progrès scientifique. Les savants, Monsieur, ont gagné cette saloperie de dernière guerre, la science je vous le dis gagnera la paix. Voyez la bombe atomique. Après Hiroshima personne n'osera l'utiliser. Ni les Américains qui ont mauvaise conscience, ni Staline le jour où il l'aura. Hiroshima est le salut de l'humanité future.

Arnosch, étourdi, n'écoutait plus. Il quitta le salon de coiffure, flâna de par la ville, se nourrit d'un médiocre goulasch au buffet de la gare et alla s'installer au café du Rathaus. «Was wollen Sie eigentlich ?», l'interrogation de la petite Française le hantait. Il n'avait pas su que répondre, on doit se défendre d'improviser une réponse. Pourtant c'était sur un coup de tête qu'il avait fui sa patrie sans préparatifs, sans même se munir d'un rasoir, sans prévenir les camarades. Constatant sa disparition, ils se poseraient la question «passé à l'Ouest ou déporté à l'Est ?» avec un peu de surprise puisqu'il ne se mêlait pas de politique. Comme s'il n'y avait que la politique ! Etait-ce vraiment un coup de tête d'avoir cédé à l'impulsion longtemps refoulée de partir ailleurs où on peut respirer ?

L'hostilité du garçon de café envers ce consommateur qui ne vidait pas son verre de bière devint si perceptible qu'Arnosch dut se résoudre à ne pas attendre là le rendez-vous de cinq heures. Il reprit son vagabondage. Aucune affiche n'annonçait de chambre à louer, peut-être ne serait-il pas obligé de jeter l'ancre dans cette ville morne. Il avait la nostalgie des arbres, de la vie au grand air, il pensait à sa mère émue de recevoir la lettre optimiste adressée de Vienne.

Il tomba en arrêt. A l'étalage d'un fleuriste, parmi des fleurs coupées qui se fanaient, une azalée rouge rayonnait. Arnosch ne résista pas à son appel.

Bien avant cinq heures il s'adossait à la façade amicale tenant dans les bras la plante trop large pour l'appuyer contre le rebord de la fenêtre. Décidément il ne pouvait s'approcher de cette maison sans un paquet.

Un coup de klaxon. L'auto stoppa net. Sur le toit, recouvert d'une bâche, était attaché un coffre à en juger par sa forme.

La jeune femme sauta de la voiture. Arnosch lui tendit le pot de fleurs.

- Pour moi ?

Elle hésitait, répéta «pour moi ?» et rabattit le papier qui enveloppait les fleurs.

- Une azalée, une azalée rouge ! s'exclama-t-elle. C'est exprès que vous l'avez choisie rouge ?

- Elle m'a semblé jolie...

Son embarras la fit sourire pour la première fois.

- Vous êtes gentil. Ce rouge est en effet superbe.

Elle ouvrit la porte et se dirigea vers le buffet dont elle enleva les objets qui l'encombraient à l'exception de la photographie d'un bel homme en uniforme d'officier.

- Depuis la Noël je n'ai plus reçu de fleurs, dit-elle à mi-voix.

Arnosch avait placé l'azalée sur le buffet, il ne pouvait détacher le regard de la photo de l'officier au visage énergique, à la bouche cernée de plis profonds. Son mari, son amant ? Quelle que soit leur nationalité, il n'aimait pas les militaires. Il sursauta, elle le tirait par la manche.

- Vous avez fait une folie.

- Je suis content.

- Venons-en aux choses sérieuses. Pas trouvé de chambre, je parie.

- J'ai beaucoup marché. Il n'y a rien à louer.

- Tout s'arrange, vous dormirez là-haut, dit-elle. Un copain de l'intendance m'a procuré un lit de camp pliable, c'est l'espèce de cadavre ficelé au porte-bagages de la voiture. Nous le hisserons par l'escalier jusqu'à la mansarde que je vous destine, juste l'espace pour le lit, une chaise, un broc d'eau froide et une cuvette. L'électricité ne fonctionne pas, je vous donnerai une bougie. Ça ira ?

Il suffisait d'être d'accord. Arnosch balaya la mansarde sans toucher à la toile d'araignée du plafond, transporta le lit, des couvertures, les ustensiles promis. Son campement lui plut, le hasard et la petite Française avaient de l'imagination. Il poussa vers l'extérieur le châssis de la lucarne à tabatière, s'accouda aux tuiles mangées de mousse pour inspecter les environs. La zone jadis bombardée était en friche, l'ombre sortait du sol, elle escaladait les ruines éparses à droite de la maison. Au-delà de l'enceinte de la ville s'étendaient des prairies et, plus loin, des collines couronnées de forêts captaient le reflet du soleil couchant. Parfois les phares de voitures troublaient la paix du soir.

Arnosch referma la lucarne. Il alluma la bougie et s'allongea. L'araignée était au centre de sa toile.

La jeune femme appelait. Il se hâta de descendre. Elle avait préparé à dîner, un repas français avec de la viande arrosée d'une sauce savoureuse, des fromages, du vin.

- Quels sont ces grands bois qu'on aperçoit de ma fenêtre ? demanda-t-il.

- Les lignes avancées de la Forêt Noire.

- Les arbres sont mes amis. J'habitais une maison à la lisière d'une forêt, je m'y suis caché pendant la guerre pour échapper aux Allemands, ils incorporaient de force les garçons de dix-sept ans chez les Sudètes comme chez eux. Je haïssais les nazis, je ne voulais pas être un soldat de Hitler et me faire tuer en Russie. J'ai rejoint les partisans tchèques que je ravitaillais déjà avec la complicité de ma mère. La vie en pleine forêt est une magnifique expérience.

Elle déboucha une seconde bouteille de vin, du Beaujolais, dit-elle, et remplit les verres. Arnosch remarqua qu'elle avait changé de blouse. La chaleur du vin lui donna le courage de raconter sa vie.

- Je suis demeuré fidèle aux arbres. Lorsque le Président Bénès a démissionné pour ne pas devoir obéir à Staline, j'étais le contremaître d'une scierie. Les gens de Prague nous ont alors imposé un directeur tout à fait incompétent. Au début, il avait besoin de moi, il n'a pas demandé si j'étais membre du parti communiste. Ça n'a pas duré à cause de leur foutue politique. La pagaille a bientôt régné, on recevait des instructions contradictoires, on était obligé de suivre des cours de marxisme, chacun espionnait le voisin. Il n'est pas surprenant que le rendement ait diminué. Bien sûr c'était nous, les travailleurs, qu'on accusait de saboter la production, on nous menaçait de représailles. L'impossibilité de m'opposer à des mesures stupides me rendait enragé. L'affaire des mélèzes m'a porté le coup final.

Il s'interrompit. Comment faire comprendre à quelqu'un qui n'est pas du métier son écoeurement de l'ordre d'abattre les mélèzes quinze ans avant qu'ils ne soient mûrs au lieu d'éclaircir la futaie de hêtres. Et d'expliquer son état d'esprit lorsque, précisément ce jour là, avait surgi l'homme traqué qu'à un autre moment il n'aurait pas écouté. L'étranger lui demandait de le guider vers la liberté. Il s'était dit que s'il n'acceptait pas, il se condamnait tôt ou tard à subir le sort des mélèzes qu'il ne pouvait sauver.

- Un soir, dit-il, je ruminais près du chantier ma révolte parce qu'on voulait sacrifier inutilement des mélèzes. Un homme est sorti du bois, il m'a supplié de le faire passer en Autriche. Il risquait la mort si nous ne filions pas tout de suite. J'ai hésité, il fallait être certain de réussir. Dans la forêt ça irait, je m'y oriente la nuit sans boussole, le danger était de traverser à découvert un champ ensemencé d'avoine sur trois kilomètres pour atteindre le chemin des contrebandiers où nous n'aurions plus qu'à ramper. L'homme n'essayait pas de m'influencer, il avait mis les mains en poche, il avait tout dit. Je le savais, c'était oui ou non. J'ai pensé que ma mère, si j'avais pu la consulter, m'aurait conseillé de partir. D'un mouvement de la tête j'ai fait signe à l'étranger de me suivre. C'était oui.

La jeune femme n'avait pas allumé sa cigarette. Les coudes appuyés sur la table, elle le regardait.

- Excusez-moi, je vous ennuie avec mes histoires. C'est votre vin qui me fait tellement parler.

- On a raison de parler. Si on le peut.

Elle avait détourné les yeux. Il y eut un silence.

- S'il ne fallait choisir qu'entre oui et non, le blanc ou le noir, ce serait trop simple, trop facile, dit-elle.

- Pas toujours, protesta Arnosch. Le choix entre le blanc et le noir, j'ai dû le faire très jeune. Mon père était un instituteur d'origine allemande, il a cru comme une majorité de Sudètes que Hitler réaliserait l'union de tous les peuples germaniques. Son fanatisme nazi provoquait des disputes violentes avec ma mère, une patriote tchèque passionnée. Mes parents essayaient de me convertir à leurs convictions. Ils me faisaient lire des tas de livres pour me démontrer la supériorité de la culture allemande ou slave, ils m'abreuvaient aussi de propagande. Après l'occupation en 1938, ce fut l'enfer. Le soir de mes quinze ans, mon père qui s'était enrôlé dans l'armée allemande est revenu en permission et nous a invités à boire au triomphe de la race des Seigneurs hitlériens. Ma mère s'apprêtait à me servir une tranche du gâteau d'anniversaire, elle a lancé le couteau dans sa direction et s'est enfuie. Elle n'est rentrée que trois jours plus tard. Nous n'avons plus eu de nouvelles de mon père.

Arnosch écarta les bras comme pour dire «maintenant vous savez tout de moi».

- C'est loin, dit-il. Je ne m'inquiète pas, j'ai un métier et de l'argent pour un mois.

La jeune femme répéta «un mois». Elle s'était levée.

- Je vais arroser l'azalée.

Elle plaça sous le pot de fleurs une soucoupe et recula la photographie de l'officier avant de verser de l'eau.

- Votre mari ? demanda Arnosch.

- Non.

Elle sortait du buffet une bouteille et deux verres.

- Du cognac. Il a plus de bouquet dans un verre ballon. Nous boirons à vos projets.

- Le vin rend mes projets assez vagues.

- Il devrait au contraire illuminer vos horizons, on dit dans mon pays que le vin est du soleil en bouteille. Halte ! s'écria-t-elle pour l'empêcher de porter le verre à ses lèvres.

Le cognac ne s'avale pas comme du schnaps, il faut d'abord le chauffer en serrant le verre dans ses paumes, et le humer avant de le goûter.

- Je suis un barbare. J'ai énormément de choses à apprendre.

Il espérait un sourire qui ne vint pas.

- Vous, vous êtes au commencement de tout. Il est bon que cela existe.

Son regard s'était de nouveau évadé. Arnosch sentit qu'elle ne s'adressait à lui qu'en apparence, il n'osait pas la distraire de ses pensées, offrir de trinquer à leur rencontre. Il se dit qu'il faudrait aller ensemble dans la Forêt Noire, il lui montrerait qu'en avril la forêt est mouchetée de vert tendre, que même les résineux ont des ongles de jade. Quand on marche à l'abri des arbres, on est joyeux.

- Prosit, dit-il.

La jeune Française ne choqua pas son verre à celui qu'Arnosch levait. Elle repoussa sa chaise, si brusquement que la bouteille de cognac vacilla, et se dirigea vers le buffet.

- Les fleurs si près de sa photo, je ne peux pas supporter de les voir là, elles sont le présage qu'on va mettre des fleurs sur sa tombe, s'écria-t-elle.

Saisissant le cadre argenté, elle le plaça au bord du meuble le plus loin possible de l'azalée.

- Mais non, je suis folle de croire aux présages, folle d'imaginer que le rouge de ces fleurs est un signe de mort. Robert vit, je le sais, demain je recevrai sa lettre.

Elle essayait de maîtriser son angoisse et, à reculons, sans détacher le regard de la photographie, revint s'asseoir.

- C'était plus fort que moi, dit-elle à Arnosch. Un reflet rouge m'a parut ensanglanter le visage de Robert, je n'ai pas pu m'empêcher de crier. Cette photo est tout ce qui me reste de lui. Il est parti en janvier pour l'Indochine, nous faisons en Indochine une guerre qui n'avoue pas son nom, nous risquons d'y perdre nos meilleurs officiers. Vous comprenez... Tout à l'heure, lorsque vous m'avez offert l'azalée, je me suis dit qu'elle annonçait le retour du printemps. L'espoir que donne le printemps.

Elle alluma sa cigarette, souffla la fumée.

- Je ne parle jamais de Robert. Ce sera peut-être moins pénible dans une langue étrangère, à un inconnu.

Le silence se prolongeait. Arnosch songeait que sa présence était pour la jeune femme le prétexte de se parler tout haut à elle-même. Il suivait sur son visage mobile des changements d'expression. Une clarté fit briller ses yeux.

- Nous avons aussi des forêts chez nous, les forêts des Vosges, dit-elle. Le groupe de résistants dont je faisais partie s'y réunissait parfois pour préparer des coups de main contre les Allemands. Notre action n'était pas très efficace, nous manquions d'armes et de directives, j'ai failli être capturée avec un poste de radio. Robert commandait le détachement qui a libéré notre ville en 44, il y a établi son quartier général. Il incarnait pour moi le chef de guerre sorti d'un livre d'images, mais c'est l'homme que j'ai aimé. Lors de l'offensive générale des Alliés, je l'ai suivi, j'étais parvenue à me faire engager comme conducteur d'une camionnette de son régiment et, après la victoire, à obtenir un poste ici où il a été officier d'Etat-Major. Mon père a tout tenté pour s'y opposer, il avait découvert que Robert était marié et que son catholicisme fervent l'empêcherait de divorcer. Il m'a fait un discours pathétique sur le scandale de ma conduite et sur l'objectif unique des filles qui doit être de fonder une famille. En vain, je le méprisais et j'étais majeure.

Elle écrasa le bout de sa cigarette à demi fumée.

- Sous l'occupation allemande mon père ondoyait au gré du vent dominant afin, disait-il, de protéger les intérêts des sept mille habitants de la bourgade dont il était le maire. Ça l'arrangeait que je milite dans la résistance, il s'en est d'ailleurs vanté le jour où la bonne cause a triomphé. J'ai horreur des opportunistes qui se parent du drapeau de la victoire d'autrui. La victoire de notre de Gaulle auquel Robert s'est rallié parmi les premiers dès l'appel du 18 juin 40.

La voix de la jeune femme se voila.

- Robert a fait la campagne d'Afrique. Sa femme avait fui Paris dès le mois de mai et son exode s'était terminé dans un village perdu des environs de Toulouse. Comme elle n'y recevait pas de réponse à ses lettres, elle a probablement cru la rumeur incontrôlable que son mari avait été tué. Ce fut affreux pour Robert d'apprendre qu'elle vivait heureuse avec un autre homme. Il ne désira pas en savoir davantage, l'amour était mort à la guerre. Il repartit combattre sur le front d'Alsace. Aujourd'hui il est à Saïgon.

Elle ne se tut qu'un instant et reprit avec le léger sourire qu'Arnosch n'espérait plus:

- Mon Dieu, j'oubliais le cognac. Et de vous demander votre nom. Comment vous appelez-vous ?

- Arnosch. Un prénom tchèque. Ma mère l'a imposé à mon père qui exigeait Ernst, sa traduction allemande. L'autre jour, à Vienne, on m'a expliqué qu'en remplaçant Arnosch par Ernst je trouverai plus facilement du travail en Allemagne. Je ne le voulais pas, c'était d'une certaine manière donner raison à mon père. Les Autrichiens du Comité n'ont pas tenu compte de mon opposition, ils ont inscrit Ernst sur mes nouveaux papiers. Mais comme Ernst n'aura sans doute pas de boulot avant un mois, je suis encore Arnosch pendant un mois.

- Prosit, Arnosch. Elle souriait vraiment. Buvons à une coïncidence. Dans un mois je changerai aussi de prénom et d'identité. A l'armée on m'a baptisée Geneviève, le nom de ma camionnette qui a sauté sur une mine au passage du Rhin. Depuis tout le monde m'appelle ainsi. Le quinze mai, mon contrat se termine, je rentrerai en France. Dans un mois il n'y aura plus de Geneviève au moment où naîtra Ernst.

- C'est joli, Geneviève.

Il était difficile à prononcer, ce nom français. Arnosch le répéta avec l'accent tchèque pour qu'elle ne cesse pas de sourire. Elle ne réagit pas, ils n'avaient et n'auraient plus jamais rien à se dire. Même le cognac qu'ils burent à petites gorgées était sans soleil.

- Si vous aimez lire le soir, dit Geneviève, choisissez un livre allemand dans la bibliothèque. Je vous recommande les nouvelles de Stephan Zweig. Eteignez en allant vous coucher. Bonne nuit.

Elle contourna la table et, d'un geste résolu, fit glisser l'azalée à proximité de la photographie de l'officier.

- Il est impardonnable d'être superstitieux. Je vous remercie, Arnosch, de vos fleurs.

Elle était partie. Arnosch écouta ses pas décroître. Il ne se décidait ni à rejoindre sa mansarde ni à lire Stephen Zweig. Plutôt rincer les verres vides. Il se versa une dernière rasade de cognac qu'il avala d'un trait, pour la brûlure, et s'aventura à la cuisine. De crainte que Geneviève n'entendît le grincement du robinet, il essuya les verres avec une serviette et revint les ranger ainsi que la bouteille dans le buffet. L'acajou de la table reflétait les ampoules du lustre. Il manquait là un livre pour que ce soit comme hier. Arnosch mit un volume broché au milieu de la table, l'ouvrit. Il tira les rideaux, entrebâilla la fenêtre et, la porte de rue n'étant pas verrouillée, il sortit. La fraîcheur nocturne le frappa au visage. C'était la pleine lune. De chaque côté de la petite maison où brillait une lumière au rez-de-chaussée, des façades en ruine projetaient leur ombre mutilée. Le coeur battant, Arnosch s'approcha de la fenêtre. Personne. Sur la table un livre ouvert semblait attendre. Comme hier. Une jolie fille viendra s'asseoir, il la verra sourire aux personnages de son roman et il se sentira moins seul. Mais que se passait-il ? Les pages du livre commençaient à tourner toutes seules, une à une, lentement d'abord, puis plus vite, ce tournoiement donnait le vertige. Il fallait l'arrêter. Arnosch se précipita au salon, sa main s'abattit sur une page déjà immobile où était imprimé le mot «fin».

Il referma le livre. Il suffisait de le refermer pour que les trois cents pages d'une histoire inconnue refoulent au loin le mot «fin». Il est impardonnable d'être superstitieux, murmurait une voix. L'azalée rouge ! Sous le regard impassible de l'officier en uniforme, Arnosch prit avec précaution le pot de fleurs et le posa sur la table d'acajou.

LE GRAND HÊTRE

La pluie avait cessé au passage de la frontière belge. Jean-Pierre avait roulé vite à travers les Ardennes, il voulait arriver à Fallèves avant la nuit. Au Vieux Moulin il quitta la chaussée pour la route étroite qui monte le long de la colline où, dominant la vallée du Morioux, la vaste maison est isolée dans les bois. Ayant tourné à droite le jeune homme lança sa moto entre les nids de poule du chemin inégal. Sous les tilleuls il coupa les gaz, il ne désirait pas qu'on l'entende arriver et qu'on le reçoive sur le perron en visiteur, en étranger. Son élan le porta au-delà du bosquet des quatre bouleaux et il atteignit la cabane à outils. Jean-Pierre retira ses lunettes pour voir si tout était comme dans son souvenir.

On avait repeint la double porte et les châssis des fenêtres du garage, jadis gris, d'une couleur bordeaux qui tranchait sur l'ocre de la pierre du pays. Derrière la remise le taillis avait été coupé. Au centre de l'espace dénudé se dressait le Grand Hêtre, plus imposant que jamais. Ses branches basses touchaient presque le sol, elles renouvelaient l'ancienne invitation à grimper au sommet d'où la vue est si belle. Jean-Pierre se demanda si Nadine allait toujours se réfugier sur la fourche supérieure du Grand Hêtre y lire en cachette des livres interdits. Mais quels livres sont encore interdits à Nadine qui aura vingt ans le mois prochain ?

Il poussa la moto dans le garage à côté de la quatre chevaux dont les ailes étaient bosselées. Un exploit des jumelles sans doute, elles avaient maintenant l'âge de conduire. Il décida de laisser pour le moment sa valise sur le porte-bagages et se dirigea vers le potager pour être seul avec la joie du retour. C'était bien le décor familier des vacances d'été et pourtant il paraissait différent aujourd'hui. Les feuilles ne commençaient à poindre qu'aux branches des bouleaux, la mousse recouvrait le terrain de tennis, il n'y avait pas de vaches se frottant aux pommiers du verger. Le soleil surtout manquait à l'appel.

La grille du potager était fermée au cadenas, le cadenas rouillé dont Aloïs, le jardinier, conservait la clef qu'il fallait lui demander pour pénétrer dans son domaine. Le soir et le dimanche Mélanie n'avait pas accès aux légumes.

Jean-Pierre n'était pas pressé d'affronter les questions imprévisibles de Madame Mère, le regard de Nadine, la curiosité des jumelles. Il s'attarda à contempler la longue bâtisse qu'au village on appelait «le château» à cause de sa tourelle surmontée d'un paratonnerre. Et à cause de Madame Mère qui en imposait bien qu'elle n'eût qu'une seule servante, vêtue de noir comme elle. La vieille Dame ne quittait pas Fallèves, même l'hiver, elle disait à ceux qui s'étonnaient: «pour quoi faire, j'ai toutes mes dents et je déteste le cinéma.»

Il revint vers la pelouse où le gazon refusait de pousser, il pensait à la carte de Nadine. «Puisque tu es démobilisé, viens ici pour Pâques. On t'attend.» Juste quelques mots. En vingt mois Nadine n'avait envoyé que de brefs messages pour parler d'une nouvelle variété de roses, d'un petit geai tombé du nid, de la « Maison de Poupée» qu'elle se réjouissait de découvrir. Pas une question au sujet de l'Algérie, de la guerre, et Jean-Pierre s'était résigné à ne faire dans ses lettres aucune allusion aux heures sombres de sa vie de soldat.

A présent il s'appuyait contre le tronc d'un chêne isolé, il aimait les chênes qui ne cessent d'interroger le ciel lorsque des nuages informes se poursuivent en direction de l'église de Lomal. Il distinguait le clocher distant de deux kilomètres à l'extrémité de la double rangée de peupliers. Fallèves était bien protégé par les arbres.

- Je n'ai trouvé que des primevères.

Nadine avait surgi sans bruit. Elle ne songeait pas à dire bonjour ni à tendre la main.

- Il n'y a d'autres fleurs nulle part. Je suis allée à la clairière aux muguets malgré les ronces, rien encore. C'est maigre pour un dimanche de Pâques.

Elle montrait son panier de primevères, ses bottes maculées de boue. Jean-Pierre sourit. Pour Nadine, sa présence semblait si naturelle, qu'elle lui parlait comme s'ils avaient pris ensemble ce matin le petit déjeuner.

- Je vais chercher ma valise, dit-il. Elle est sur le porte-bagages de ma moto.

- Une moto ? Nous ferons un tour au clair de lune. Promis ? Elle leva le visage vers le ciel. Le temps va changer, la lune sortira.

- On a repeint, dit Jean-Pierre en ouvrant la porte du garage.

- Une idée d'Oncle Frédéric. Chaque fois qu'il vient ici il a des idées. A cause de lui Aloïs a dû arracher le lierre de la façade parce qu'il ronge la pierre. Mère en a pleuré. On a planté de la vigne vierge qui pousse à vue d'oeil.

Nadine s'était adossée à l'établi, elle frottait les pans de son manteau d'homme à chevrons pour en détacher la boue séchée. Jean-Pierre remarqua qu'elle avait les ongles laqués.

- Il s'est annoncé à dîner, Oncle Frédéric, reprit-elle. Il va parler, parler, parler. Une véritable machine à coudre. Et il veut qu'on l'écoute.

- Je te parie que nous parviendrons à le mettre en boîte comme autrefois.

- Comme autrefois ? répéta-t-elle en secouant la tête. Ce sera plus difficile, nous ne sommes plus des enfants.

Elle n'aurait pas dû dire cela, pensa Jean-Pierre. Pourquoi ne resteraient-ils pas des enfants à Fallèves où rien ne bouge. Il regarda le panier de fleurs, les bottes boueuses, le foulard bleu violet de la couleur des yeux de Nadine qui enserrait le chignon drôlement perché sur sa petite tête, dégageant les oreilles qu'elle savait ravissantes. Chère Nadine ! Ses yeux sont sa vérité, pas ses ongles laqués de rouge.

Il s'affairait à dénouer les courroies de la valise, se rappelant les images qu'il suscitait pendant ses nuits africaines, les espoirs qui demeurent des espoirs tant qu'ils sont imprécis. Il demanda:

- L'Oncle Frédéric écrit encore des romans ?

- Il est stérile, le pauvre homme. Il court le monde faire des conférences et des gueuletons - Nadine posa la main sur son épaule - J.-P., invente un sujet de nouvelle, un truc bourré de psychologie. Il se jettera dessus et pendant qu'il rumine nous serons tranquilles.

Elle riait, très fière du tour à jouer au romancier. Il était le frère cadet de son père qu'elle avait à peine connu, elle ne lui pardonnait pas d'avoir usurpé le rôle de chef de famille. Depuis l'enfance elle lui faisait la guerre.

De l'autre côté du Morioux un nuage creva. Les jeunes gens se hâtèrent vers la maison. Ils enlevèrent leurs souliers selon le rite des jours de pluie pour ne pas salir le parquet. Nadine dit à Jean-Pierre qu'il logeait dans la chambre verte. L'Oncle Frédéric aurait la spacieuse chambre rose, il pourrait l'arpenter de l'armoire baroque au miroir Empire en attendant l'inspiration.

Il n'y avait personne dans le hall lambrissé de chêne. Tout était à sa place, le faucon empaillé sur la haute cheminée, le baromètre qui indiquait invariablement un temps variable, le dictionnaire que Madame Mère consultait pour arbitrer les discussions. Les jumelles aident Mélanie à mitonner le festin du soir, elles adorent fabriquer des sauces, dit Nadine. Elle disparut avec ses primevères à la recherche d'un vase.

Jean-Pierre, tenant sa valise d'une main et ses chaussures de l'autre, gravit l'escalier aussi mal éclairé que de coutume pour se rendre à la chambre verte. Elle devait son nom à des rideaux oseille remplacés dix ans auparavant par des tentures chatoyantes, mais Madame Mère n'avait pas admis de la rebaptiser. Pas plus d'ailleurs que la salle du défunt billard où trônait désormais une table de ping-pong.

Il se débarbouilla à l'eau tiède, puis il ouvrit la fenêtre pour respirer l'odeur humide des parterres fraîchement bêchés. Quel silence ! Un silence uni, sans menace. Malgré lui Jean-Pierre se revit aux aguets de l'approche d'ennemis armés dont le sable du désert étouffait les pas. Il dut se secouer pour chasser l'obsession de la mort qui rôde, il se répéta qu'il était de nouveau dans l'oasis de Fallèves, que les derniers mois appartenaient au passé. Tout à l'heure cette certitude s'imposera. Il referma la fenêtre. Soudain il crut entendre une des phrases déconcertantes de Madame Mère: «Le même vent fait chanter différemment chaque voile». Elle avait dit cela sans lever la tête de son tricot, à propos de rien, on ne savait pas quel sens donner à cet aphorisme qu'on ne pouvait oublier.

Lorsque Jean-Pierre descendit, le hall était plongé dans l'obscurité. Il alla près de la cheminée, le feu de bois était préparé et il l'alluma. La flamme embrasa les brindilles, elle gagna les bûches de bouleau qui crépitèrent. Combien de fois ne s'étaient-ils pas accroupis, Nadine et lui, quand les autres dormaient, pour contempler les braises rougeoyantes.

- Bonsoir, Jean-Pierre, dissipez les ténèbres que je vous voie, dit Madame Mère en s'avançant à pas rapides. La lampe, pas le lustre. Bien. Que vous êtes large. Un homme, hélas ! Accablé de problèmes d'homme qu'il faut taire pour qu'ils soient moins lourds. N'en parlons pas.

Elle lui tendit la joue, il y avait dans son regard une douceur qui émut Jean-Pierre. Il l'embrassa, il sentait qu'elle l'accueillait comme la première fois qu'il était arrivé à Fallèves, au mois d'août 1945. Il n'avait alors que neuf ans, mais il se souvenait de ses paroles. «La guerre qui a pris tes parents et mon mari a épargné cette maison. Le signe que ce coin de terre est celui de la paix. Tu peux venir ici quand tu le voudras, il y aura toujours un lit pour toi». Songeait-elle à ce petit discours pas du tout dans sa manière ? Elle avait dit aussi: «En 1940 nous avons échoué, les petites et moi, dans un village aux environs de Cahors. Nous étions des réfugiés sales, épuisés par une semaine d'exode, les jumelles pleuraient, elles ne marchaient pas encore, je poussais une brouette où elles gigotaient. Finalement j'ai frappé à une porte, ta maman nous a fait entrer et elle nous a donné le lait qu'elle avait mis de côté pour toi».

Madame Mère suivait ses pensées et elle dit, reprenant le tutoiement:

- Tu es un homme avec un appétit d'homme. Nous avons pour le dîner deux grosses poules, des Wyandottes. J'ai dû supprimer les coqs, ils me réveillaient à l'aube. Nous ne faisons plus couver, Fallèves est devenu un véritable couvent... Mais où est mon ouvrage ? Francine, mon tricot... Françoise, mes lunettes.

Les jumelles accoururent. De jolies jeunes filles dans leurs robes blanches. Elles secouèrent chacune un bras de Jean-Pierre avant de retourner tous les coussins du canapé et des fauteuils en quête des lunettes de leur mère. La porte de la salle à manger s'ouvrit, Nadine reparut. Elle tenait à deux mains le vase de primevères et, calé sous l'aisselle, le chandail que sa mère tricotait. Les boules de laine étaient fichées au bout des aiguilles.

- Tu l'avais laissé à la cuisine, dit-elle.

L'horloge sonna six coups. Il était donc sept heures. Jean-Pierre prit le risque de proposer à Madame Mère de lui permettre de faire coïncider l'heure du cadran avec la réalité. Le claquement de la portière d'une auto la dispensa de s'indigner de pareil sacrilège. Les jumelles s'élancèrent à la rencontre de l'Oncle Frédéric qui entra drapé d'une cape élégante.

- Je vous baise les mains, ma chère.

- Frédéric, vous avez grossi, dit Madame Mère.

- Hélas, je fais mon mea culpa.

Il jeta son manteau à Francine. Il regarda autour de lui avant de s'asseoir dans le fauteuil de cuir et d'allonger les jambes vers la cheminée.

- Salut à toi, Nadine. Content de vous revoir ici, Jean-Pierre.

Il se mit aussitôt à discourir. Un long monologue, une mélodie agréable. Il décrivait de façon pittoresque un congrès d'écrivains en Bourgogne, des gens très bien de nombreux pays y avaient participé. Les parties fines arrosées de vins superbes stimulent les joutes des bons esprits. Les aiguilles de Madame Mère tintaient, les jumelles passaient les doigts sur le veston de sport de l'oncle, Nadine avait une expression hostile et Jean-

Pierre sentit de l'irritation. Pourquoi ce bavardage, pourquoi l'Oncle Frédéric n'avait-il pas posé une simple question à propos de l'Algérie ? Ce bon esprit craignait-il de s'aventurer sur un terrain où l'escrime des mots paraîtrait futile ? Madame Mère, elle, avait su laisser entendre qu'elle comprenait intuitivement les problèmes du retour à une existence démobilisée. Jean-Pierre se dit que demain il irait au potager parler sans retenue avec Aloïs de leurs expériences de soldats.

- Dois-je vendre mes valeurs de pétrole ? demanda Madame Mère qui avait perçu «Sahara» dans le ronron de son beau-frère.

Coupé en plein élan, le romancier ne marqua guère de surprise.

- Je vous le déconseille. J'ai obtenu des renseignements à ce sujet lors d'une réception en mon honneur chez un banquier de Genève après ma conférence sur «Rilke et Rodin» qui a eu un vif succès. J'ai fait le pèlerinage de Muzot.

Il était de nouveau lancé. Nadine donna un coup de coude à Jean-Pierre, elle refusait à son oncle le droit de débiter des banalités à propos de Rilke.

A table l'Oncle Frédéric fut moins disert. Il accorda à la poule au curry l'attention qu'elle méritait et tourna si joliment son compliment que Mélanie en rougit de plaisir.

- Fallèves est un lieu magique, déclara-t-il en s'essuyant la bouche. Un point du monde hors du temps où l'on peut reconstruire sa personnalité que les servitudes humaines démolissent pierre à pierre.

- Littérature, dit Madame Mère. Vous venez à Fallèves tout d'abord pour dormir sans préoccupations d'horaires, et voilà pour le temps. Après la sieste vous marcherez jusqu'au village ou au Vieux Moulin, et lorsque vous aurez perdu quelques kilos de mauvaise graisse vous écrirez une histoire de femme et votre personnalité sera reconstruite.

Les jumelles riaient. L'Oncle Frédéric les menaça de son couteau. Jean-Pierre se dit qu'il fallait excuser ce bourgeois égoïste et satisfait, mais débonnaire, et se désintéresser à Fallèves des événements politiques si importants fussent-ils.

On retourna dans le hall pour le café.

- Les petites sont de plus en plus charmantes, dit l'oncle avec un sourire à Françoise, sa préférée. On est tenté de les placer toutes les trois en bouquet, dans un vase, sur le piano.

- En...dans... sur..., chantonna Nadine à mi-voix. Trois prépositions en huit mots, et il se vante de sa prose !

- Pourquoi n'y a-t-il jamais de fleurs dans vos romans, demanda Madame Mère.

- Pas de fleurs ? Vous en êtes sûre ?

Il paraissait décontenancé et peiné.

- Mon Oncle, dit Nadine d'un ton innocent, Jean-Pierre a un thème de nouvelle pour vous.

Tous les regards se posèrent sur le jeune homme, même Madame Mère interrompit le cliquetis de ses aiguilles. Le romancier laissa se consumer l'allumette qu'il approchait de son cigare. Il se méfiait.

- J'écoute.

- Il s'agit plutôt d'un sujet que d'un thème de nouvelle.

Nadine inclina la tête en signe d'assentiment, ils avaient jadis âprement discuté ces notions.

- L'histoire, expliqua Jean-Pierre, peut se situer pendant n'importe quelle guerre moderne. Son personnage central est un homme d'une trentaine d'années atteint d'une infirmité: la vie lui fait peur. Enfant il a eu peur du noir, peur de déplaire à ses parents divorcés, peur plus tard d'opérer des choix, de s'attacher à des êtres et à des causes.

- Peur d'aimer, murmura Nadine.

- Il croit que le salut viendra de son enrôlement dans l'aviation, que la discipline militaire le déchargera de ses responsabilités et résoudra ses dilemmes personnels. Contrairement à son espoir, la peur ne le quitte pas. Il est plus que pusillanime, il est lâche. A plusieurs reprises il a fui le combat aérien sans que ses camarades s'en aperçoivent, il éprouve un sentiment de honte qui devient bientôt intolérable. Il doit se racheter à ses propres yeux.

- Je vous suis, dit l'Oncle Frédéric

- L'occasion se présente: il est désigné pour accomplir une périlleuse mission de reconnaissance en territoire ennemi. Les objectifs sont repérés, il n'y a qu'à exécuter les ordres. La veille de s'envoler notre homme a le pressentiment que son avion sera abattu. Il pense qu'après sa mort on le glorifiera pour cet unique acte de courage, lui qui n'en a jamais eu. L'idée de ce malentendu posthume l'horrifie.

- Scrupule excessif, mais que j'admets, dit le romancier.

- Tu as trop lu Pirandello, chuchota Nadine.

- Que fait-il pour éviter ce malentendu ?

- Il imagine d'écrire une confession où il se dépeint tel qu'il est. Quand il la relit, il se rend compte qu'il lui sera impossible d'affronter quiconque en aura pris connaissance. Par conséquent il faut qu'on ne la découvre que s'il ne revient pas de son expédition. Il a recours à un stratagème: il s'adresse la confession à lui-même, par la poste. S'il survit, il la recevra du vaguemestre et la déchirera.

- Bien inventé, dit Francine. Que lui arrive-t-il ?

- Une chose qu'il n'a pas prévue. Son avion est touché par un obus de la D.C.A., il saute en parachute selon les instructions reçues, il atterrit sain et sauf dans les lignes ennemies et est fait prisonnier.

- Je vois comment articuler le récit. L'Oncle Frédéric se mit à gesticuler. Le plus malaisé sera d'accélérer le rythme pour traduire la plongée dans le vide d'une descente en parachute et les sentiments de l'aviateur qui a peur ou d'être tué ou qu'on lise sa lettre s'il ne l'est pas.

- On est toujours puni de se vouloir trop malin, dit Madame Mère. Cet homme me dégoûte.

Le romancier fuma distraitement son cigare et ne protesta pas lorsque Françoise fit jouer les premiers mouvements de «la Pastorale» dans un nouvel enregistrement que Jean-Pierre avait apporté. Ils écoutèrent, recueillis, l'appel émouvant au contact des beautés éternelles de la nature.

- Beethoven a le dernier mot, dit Madame Mère. Allons nous coucher.

On se quitta au pied de l'escalier. Nadine glissa à Jean-Pierre qu'elle avait à lui parler et quelques minutes plus tard ils étaient assis sur le tapis afghan près du feu que Jean-Pierre ranima.

- Cette histoire que tu as racontée, elle est de toi ? demanda Nadine.

- Bien sûr. Pour que L'Oncle Frédéric puisse l'utiliser s'il le souhaite, elle doit être inédite.

- Comment as-tu pu concevoir une chose aussi ignoble! Tais-toi. Ton aviateur est un sale hypocrite, il l'a été toute sa vie en s'abstenant de prendre parti et il est encore plus hypocrite en rédigeant sa confession. Il se fout pas mal d'être sincère ou, comme tu l'as dit, de se racheter en avouant sa lâcheté. Il demeure jusqu'au bout si lâche qu'il n'enlèvera son masque qu'après sa mort. Mère n'a pu cacher son écoeurement.

- Voyons, ce n'est que de la fiction pour occuper les loisirs de ton oncle. Cette histoire n'a pas d'importance.

- Elle en a pour moi. Tu ne comprends donc rien ?

Jean-Pierre ne répondit pas qu'il comprenait que son misérable héros ne fournissait à Nadine qu'un prétexte pour l'accuser d'introduire à Fallèves un langage nouveau, de rendre ainsi sensible que leur entente ne serait plus celle d'autrefois. Il se demanda si Nadine avait comme lui rêvé qu'ils retrouveraient intacte leur insouciance des jours heureux. Mais l'insouciance ne se conquiert pas. «Nous ne sommes plus des enfants», cette petite phrase résonnait en lui comme une sentence. Il se souvint d'un alexandrin qu'avait cité Madame Mère pour marquer l'écoulement du temps dû à l'absence:

« On ne revient jamais vers son propre visage». Jean-Pierre savait qu'en vingt mois de guerre il avait changé et, il en prenait conscience à Fallèves, bien davantage que Nadine ne pouvait le supposer. Et elle ? Il la regarda. Le menton entre les paumes, dans sa pose favorite, elle suivait l'arabesque des flammes. Nom de Dieu, elle était devenue une femme. La Nadine inachevée qu'il avait embrassée avant son départ pour l'Algérie était une femme. Il émanait d'elle une séduction redoutable. Serait-ce cette mutation qu'elle l'invitait à comprendre ? Violent et douloureux, le désir de s'emparer de son corps l'envahit, le désir de caresses auxquelles il fallait qu'elle réponde, qui ferait naître dans ses yeux le signe que l'harmonie perdue était rétablie. A l'insouciance succèderait la plénitude.

- Nadine, murmura-t-il pour qu'elle tourne la tête.

Des étincelles jaillirent d'une bûche qui s'écroulait et un tison tomba sur le tapis. Nadine se leva pour l'écraser. Le moment de l'enlacer en disant «tu comprends ?» avait fui.

Jean-Pierre reprit:

- Il est simpliste d'accuser quelqu'un du crime d'hypocrisie. Dis-moi, est-il hypocrite de vouloir ressembler à l'image que les gens peuvent se faire de vous ou d'essayer de paraître ce que l'on souhaite soi-même devenir ? La sincérité totale est un leurre ou un artifice.

Il s'interrompit. Ces généralités ne l'éloignaient-elles pas de ce qui préoccupait Nadine ? Elle réagit avec vivacité.

- Ton histoire de malentendu, c'était donc ça ?

- Merci de l'avoir senti, s'écria-t-il. J'ai essayé d'exprimer la difficulté d'être honnête et mon tort a été de choisir pour l'illustrer un individu qui t'a hérissée. Oublie l'anecdote, je t'en prie.

- D'accord si tu me dis comment tu en es arrivé là.

- Une nuit je montais la garde en bordure de l'Atlas. Mes camarades roupillaient enveloppés de couvertures brunes, des gentils garçons de mon âge venus de tous les coins de France.

On s'aimait bien. Soudain une rafale de mitrailleuse a été tirée de nulle part dans ma direction sans réveiller personne. Si j'avais été atteint ma mort n'aurait pas eu d'écho. Ni de signification. Je me suis demandé pourquoi. On a le temps de réfléchir quand on est de garde. Et j'ai trouvé la réponse qui te paraîtra évidente: cette guerre absurde ne nous concernait pas. Nous étions les victimes d'une solidarité illusoire créée par des dangers communs. En réalité nous partagions uniquement un espoir, l'espoir d'être ailleurs, au pays, et de reprendre notre vie chacun pour soi. Le reste, y compris la mort du voisin, était indifférent. Mais il ne fallait pas l'avouer, un soldat doit jouer jusqu'au bout son rôle de figurant consciencieux. Dans le bled, j'ai découvert la solitude. En le dissimulant, j'acceptais le mensonge.

- Tu parles comme un vieux, dit Nadine. Ce sont les vieux qui remâchent leur solitude.

- Et toi tu parles comme ta mère. Jean-Pierre se reprocha de n'avoir pas suivi le conseil de taire ses problèmes pour qu'ils soient moins lourds.

Nadine jeta de la cendre sur la braise et se dirigea vers la fenêtre.

- Regarde, la lune a percé. Faisons un tour sur ta moto. Tu l'as promis.

Ils se rendirent au garage chercher la machine qu'ils poussèrent jusqu'à l'allée des tilleuls. La lumière brûlait chez l'Oncle Frédéric. Jean-Pierre supposa qu'il essayait d'imaginer une descente en parachute.

Rouler la nuit dans la campagne déserte est une sensation merveilleuse. Nadine avait noué les bras autour de la taille du jeune homme, elle appuyait la tête contre sa nuque afin de se protéger du vent. Lui abordait les virages à un angle extrême pour qu'elle resserrât son étreinte. Sur une moto lancée à travers cette région où les champs, les fermes endormies et les forêts alternent, sans autre but que de respirer la fraîcheur nocturne, on est heureux.

Ils s'arrêtèrent à Saint-Firmin. La tour octogonale de l'église romane était éclairée par la lune. A ses pieds l'étang ne reflétait que le ciel.

- Marchons, dit Jean-Pierre.

Ils suivirent le chemin longeant le cimetière que, chaque été, les herbes envahissent. Nadine avait enfoncé les mains dans les poches de son manteau d'homme. Sous le fichu qui retenait ses cheveux se dessinait son joli profil irrégulier et ses yeux paraissaient plus grands que d'habitude. «Où es-tu ?» Jean-Pierre était tenté de lui poser la vieille question. A dix ans déjà, Nadine s'évadait vers un monde mystérieux soumis à son caprice où l'on n'était jamais certain d'être accepté. Sauf quand ils se réfugiaient ensemble en haut du Grand Hêtre et échangeaient des secrets. La veille de leur dernière séparation elle l'y avait entraîné à l'heure où les couleurs et les formes se diluent dans le crépuscule. Regarde bien, avait-elle dit en désignant d'un geste circulaire les collines de Lomal, la double rangée de peupliers, la brume suspendue sur la vallée du Morioux, la carrière désaffectée. Si tu es triste, en Afrique, tu fermeras les yeux et tu reverras tout ça. Elle avait employé des mots simples pour qu'ils servent de porte-bonheur. Le talisman du souvenir, se dit-il, efficace au loin et qui perd son pouvoir dès le retour à Fallèves où l'on n'échappe pas à l'interrogation du présent: «Qui es-tu ?»

Jean-Pierre roula lentement sur le chemin qui les ramenait à la grande maison.

- Que c'est beau ici, dit-il.

- C'est beau un dimanche de Pâques au clair de lune. Mais l'horizon se rétrécit en hiver, les arbres sont tristes, le vent rabat la fumée du feu de bois, et l'on enrage d'entendre Mère tricoter sans fin les secondes.

La voix de Nadine se fit dure.

- Tu ne penses pas à nos soirées d'hiver interminables, tu ne penses qu'au plaisir de tes vacances où tu jouais à reconstruire ta personnalité de l'année précédente.

- Tu me compares à l'Oncle Frédéric ! Que t'ai-je fait, bon Dieu ?

La jeune fille se taisait. Elle avait enlevé son fichu et le nouait autour de son poignet. Jean-Pierre résista à l'impulsion de saisir ce poignet, de le serrer très fort, pour faire mal. L'attaque injuste de Nadine lui avait arraché un cri de révolte. Mais déjà il souhaitait éviter l'explication que ce cri appelait, il sentait combien elle serait meurtrière pour tous les deux. A quoi bon les «qui es-tu ?» et les «que t'ai-je fait ?» si on pressent les réponses. Il lui fut reconnaissant de son silence. La trêve se prolongeait, il était difficile de trouver une diversion qui ne soit pas factice.

- J'aurais dû te l'écrire, dit-elle enfin. J'ai commencé à travailler chez un notaire.

- Toi, chez un notaire !

- Pourquoi pas, J.-P. Il est agréable de gagner de l'argent.

- Je comprends, dit-il très vite.

Oui, tout devenait clair. Nadine le défiait. Elle savait qu'en enfreignant la consigne de ne jamais parler entre eux d'argent elle proclamait la désuétude de leurs anciennes conventions et qu'il n'avait qu'à s'y résoudre. Jean-Pierre accusa le coup. La rupture avec le passé était consommée, elle signifiait leur passage définitif dans l'univers des adultes. Même à Fallèves il n'échappait plus à ses problèmes d'homme. En vain il avait refoulé la souffrance d'être depuis plusieurs semaines sans emploi, elle se réveillait d'autant plus aiguë que cette fille qui n'en avait pas besoin se vantait de gagner sa vie. Un boulot, il voulait du boulot, n'importe lequel, à Cahors ou à Paris, en attendant d'obtenir le poste de professeur qu'il avait sollicité pour la rentrée scolaire. Son désarroi s'accrut lorsqu'une ancienne remarque de Madame Mère lui sauta au visage. Il est exclu, avait-elle déclaré un jour à l'Oncle Frédéric, de s'intéresser aux personnages de vos romans auxquels manque une dimension parce qu'ils n'ont pas de métier. Ces désoeuvrés que vous promenez sur la Côte d'Azur sont dépourvus de colonne vertébrale, ils sont des bossus moraux.

Quelle serait la réaction de Nadine s'il s'avouait un bossu moral ? Il lâcha le guidon de la moto pour se redresser de toute sa taille et s'aperçut qu'il avait froid.

- Il nous reste heureusement le Grand Hêtre, dit-il. Quand ses feuilles repousseront et qu'il sera comme avant, je reviendrai.

- Quoi, tu t'en vas ?

- Je reviendrai, répéta-t-il. Excuse-moi auprès de ta mère d'être parti sans prendre congé.

Nadine ne demanda pas quel prétexte il fallait donner à ce départ précipité. Elle suivit Jean-Pierre à la chambre verte. Il ouvrit sa valise et y rangea avec un soin extrême le sac de toilette, une paire de souliers, des chaussettes, le pyjama bleu, deux chemises, un costume assez chiffonné.

Elle était demeurée sur le pas de la porte à l'observer d'un air absent. Il avait terminé ses emballages et s'approcha. Elle lui sourit.

- Tout à l'heure, J.-P., tu as dit que la nuit, dans le désert, tu avais eu le temps de réfléchir. Moi, à mon bureau chez le notaire, j'aurai beaucoup de temps pour rêver.

Sa voix était si tendre qu'il ne put que balbutier:

- Je reviendrai bientôt.

Au passage en roue libre devant la maison, Jean-Pierre ne leva pas la tête vers la fenêtre sombre où Nadine était penchée. Il s'éloignait, mais il ne la quittait pas.

Deuxième partie

L'ÉGLISE ÉCLAIRÉE

Sébastien propulsa le caillou d'un solide coup de pied, un caillou lisse et plat qui décrivit la trajectoire prévue. Ce n'est pas parce qu'à dix-sept ans on a décroché une mention au bac qu'il est interdit de s'amuser avec un caillou anglais.

Line n'appréciait pas ces gamineries.

- Viens-donc, dit-elle. Allons-y à l'église voir le tombeau de la duchesse dont ton père a parlé.

- Nous avons bien le temps.

- Pas vrai. Le soleil se couche, il fera sombre à l'intérieur.

- Tant mieux. L'église sera plus mystérieuse.

- Idiot. Nous ne verrons pas grand-chose.

Elle avait raison, mais Sébastien n'était pas pressé d'écouter Line expliquer avec supériorité l'influence de l'architecture normande sur le gothique du sud de l'Angleterre. Il la soupçonnait d'avoir potassé le guide bleu pour prouver qu'en art elle était plus calée que lui.

- Ce matin, dit-il, nous avons visité interminablement la cathédrale de Canterbury. Cela suffit à mon bonheur.

- Moi j'obéis à ton père. Laisse ce caillou et viens.

Ils franchirent la route bordée de cottages aussi fleuris que sur les prospectus touristiques. L'église était située en face de leur auberge «Ye olde George Inn» dont la façade portait en lettres d'or l'année de sa construction: 1388. Sébastien s'était réjoui de loger dans l'aile ancienne de la vieille bâtisse où rien n'était d'équerre. Les murs de sa chambre se rencontraient à des angles incertains, les poutres noircies du plafond naviguaient au gré de leur fantaisie, même la fenêtre était de guingois. Le plancher avait émis un craquement sous le poids de sa valise et Sébastien espéra qu'un fantôme hantait les lieux. Tout le monde le sait, l'Angleterre fourmille de revenants.

Les jeunes gens suivirent un sentier qui cheminait entre des tombes de pierre rongées d'une mousse orange. Disséminées dans l'herbe, la plupart étaient arrondies vers le haut comme autant de cercueils au couvercle bombé. Sébastien s'attardait, avide de déchiffrer un nom, une date. Il pensa que les morts enterrés là étaient revêtus de leurs beaux habits d'autrefois.

- C'est bizarre, dit-il, le cimetière n'est pas entouré d'une clôture pour empêcher les morts de se promener à minuit.

- Regarde, cria soudain Line, rouge d'excitation, on a allumé dans l'église.

Ils s'engagèrent sous le porche et Sébastien poussa la lourde porte de chêne. La nef était faiblement éclairée par les ampoules électriques d'un lustre de cuivre. On distinguait mal les nervures de la voûte, les motifs des vitraux, et l'obscurité du choeur créait une atmosphère hostile. Line saisit la main de Sébastien, ils n'osaient pas troubler le silence.

Le bruit grinçant d'une chaise qu'on traîne sur le pavement se répercuta. Une femme sans âge parut, elle se dirigea vers une étagère poser son livre de prières auprès de missels identiques. Elle chuchota:

- Les enfants, n'oubliez-pas d'éteindre en partant.

- Maintenant, nous sommes vraiment seuls, murmura Line.

Elle ressemblait à la petite fille blonde des contes de fées qui désire apprendre un secret et le redoute. Sébastien voulut la rassurer.

- Je suppose, dit-il, que le tombeau de la duchesse de Suffolk est dans le choeur. N'aie pas peur, elle est morte depuis des siècles.

- J'aime avoir peur, un peu mais pas trop. Tu te souviens, quand nous étions petits nous jouions à braver notre peur du noir en explorant avec une lampe de poche le grenier de Lavreuil encombré de meubles démantibulés et de costumes couverts de plusieurs années de poussière.

- Oui, je craignais d'ouvrir la lucarne du grenier à cause des toiles d'araignées. Une église, c'est différent, il n'y a pas d'araignées.

A droite du choeur ils aperçurent un imposant monument orné de frises gothiques. Sébastien tourna un commutateur et un faisceau de lumière fit surgir de l'ombre une femme étendue à l'horizontale, les bras à demi levés et les mains jointes.

- La duchesse ! s'exclama Line. Regarde sa couronne et les statues au-dessous du tombeau.

Sébastien s'approcha. La duchesse était encore jeune, de longs cheveux encadraient son visage de marbre blanc. Il fut frappé par la dureté de son expression.

- Elle a l'air autoritaire, dit-il. Son portrait est sûrement fidèle. Je parie que la duchesse a souhaité elle-même être couchée là toute seule pour l'éternité et le sculpteur n'a pas hésité à la représenter aussi tyrannique que de son vivant.

- Tu brodes comme d'habitude.

Il passèrent à la chapelle attenante. Un second tombeau s'y trouvait, très sobre, une étroite plaque de bronze gravée reposant sur un socle de pierre grise. Un seigneur en armure et sa dame étaient allongés si proches l'un de l'autre que leurs bras se touchaient.

- Ils rêvent ensemble le même rêve, murmura Sébastien.

- C'est toi qui rêve.

Line retourna contempler la duchesse. Elle ralluma le projecteur, le visage de marbre s'anima, Sébastien crut entendre la duchesse ordonner qu'on la laisse prier en paix.

- Je suis fatigué et j'ai faim, dit-il. Filons. Ta mère sera furieuse si tu es en retard à dîner. J'éteins d'abord le lustre de la nef.

Où donc se dissimulait l'interrupteur ? Ils se mirent à explorer l'église à sa recherche, saluèrent la duchesse hautaine et le couple de la chapelle, en vain.

- A quoi bon s'entêter, dit Line. Rentrons à l'auberge.

- Nous ne pouvons pas partir sans éteindre. La dame de tout à l'heure nous a fait confiance.

- Et alors ? Si les Anglais exigent que les touristes coupent l'électricité de leurs églises, ils devront s'y prendre plus intelligemment.

- J'ai une idée, dit Sébastien. Le sacristain habite peut-être près d'ici, il nous indiquera le truc. Ils ont des sacristains, les protestants ?

- Je ne sais pas.

Ils étaient revenus sous le porche. Line pinça le bras de Sébastien.

- Une femme traverse le cimetière. Cours l'appeler au secours, tu te débrouilles mieux que moi en anglais .

Il fallut un bon moment à la petite vieille édentée pour deviner ce que Sébastien bégayait et elle secoua la tête quand il essaya de l'entraîner dans l'église. Elle refusa d'y entrer, elle appartenait à un autre culte où l'on se garde d'éclairer le temple à l'électricité, ce sont les flammes des cierges qui plaisent à Dieu.

- Je m'en vais, dit Line.

- Ce n'est pas possible avec les lampes allumées.

- Reste si ta noble conscience t'y oblige. Bonsoir.

Sébastien suivit des yeux la robe claire que bientôt la nuit avala. La moquerie de Line à propos de sa noble conscience l'avait blessé. Sa mère non plus ne ratait pas l'occasion de se moquer des gens. Hier, sur le bateau qui les menait à Douvres, Madame Fontigny n'avait pas remarqué sa présence derrière un canot de sauvetage et Sébastien avait entendu qu'elle disait à son père appuyé au bastingage: «j'attendais tellement de ce voyage, Roger. N'êtes-vous qu'un homme frileux ?» Sans répondre son père avait cogné sa pipe contre le talon d'un soulier, sa manière à lui d'ignorer les questions emmerdantes. Je la déteste, Madame Fontigny, se dit-il, je déteste sa mèche décolorée, ses faux bijoux, ses mimiques méprisantes, son culot de s'asseoir sur le siège avant de l'auto à côté de Papa, la place de Maman qui a la politesse de ne pas protester. Pourvu que Line ne soit pas comme sa mère.

Pour chasser cette désagréable pensée Sébastien alla rallumer le projecteur du choeur. Cette fois il eut l'impression que la duchesse levait les bras dans un geste de défense plutôt que de prière. Quelle menace voulait-elle conjurer ? Il étudia le monument funéraire. De la frise se penchaient les bustes de personnages aux mains jointes comme celles de la duchesse, mais ils souriaient malicieusement, leur attitude contrastait avec la sienne et celle des chanoines dévots qui montaient la garde autour de la partie inférieure du tombeau. Sébastien s'agenouilla et ressentit un choc. A ras du sol, caché par des pilastres gothiques, gisait un squelette de marbre d'un réalisme effrayant. La duchesse n'était pas solitaire comme il l'avait cru, il comprenait pourquoi elle implorait une protection. Il l'observa intensément. La bouche de la duchesse tremblait.

Sébastien se réfugia dans la chapelle où rêvaient le seigneur armé et sa compagne. Il s'assit à leurs pieds au bord de la dalle de bronze et réfléchit. Jusqu'à ce soir il n'avait pas songé que les morts se survivent, du moins ceux que des artistes avaient tenté d'immortaliser. Mais ces hommes et ces femmes, célèbres ou anonymes, sont-ils chargés de transmettre un message aux générations futures ? Sébastien s'imagina que les morts de cette étrange église dont il ne pouvait éteindre la lumière allaient lui parler. Aux aguets, il ferma les yeux.

Une lueur filtra des vitraux. La duchesse s'était redressée, elle ajusta la couronne sur ses cheveux dénoués et fit signe aux chanoines de l'aider à descendre de sa couche. Les chanoines et les personnages malicieux de la frise l'entourèrent, un cortège se forma, le seigneur brandissant une épée en prit la tête, une foule se pressait au passage de la procession qui sortit de l'église et s'enfonça dans la brume. Sébastien s'élança à sa poursuite, des mains innombrables lui tendaient des torches pour qu'il les embrase, il n'avait pas de feu, Line ricanait de son impuissance, elle courait vers la route au devant d'une voiture, la portière de l'auto s'ouvrit, un squelette revêtu du manteau de Madame Fontigny bascula dans le fossé, le chauffeur continuait de rouler, une pipe au coin de la bouche.

- Tu renonces, mon grand ?

Sébastien sursauta, le froid de la dalle de bronze l'avait engourdi.

- Line nous a tout raconté, lui dit son père.

- Je suis sûr qu'elle s'est fichue de moi.

- Quelle importance. Souvent les femmes ne perçoivent pas qu'il existe des choses dont nous sommes incapables. Trahir la confiance par exemple.

Le ton sérieux de son père intrigua Sébastien. Il se demanda s'il faisait uniquement allusion à cette histoire de lustre rebelle. En tout cas une intimité nouvelle les unissait, leur entente était si évidente qu'exprimer sa joie risquerait de la dévaloriser.

- Papa, il faut que je te montre le squelette qui oblige la duchesse à se repentir.

Le fin profil de marbre était redevenu impassible. Sébastien se promit de ne pas dévoiler à Line la découverte de son secret. Il était fier de faire les honneurs de l'église désormais familière à son père. Ils eurent beau scruter ses recoins, il leur fut impossible de percer le mystère de l'éclairage de la nef.

- Hélas, mon grand, nous devons abandonner la partie et subir l'ironie de ces dames.

Sébastien était curieux de voir comment ils affronteraient l'épreuve. Son père s'installa à la table de la salle à manger et il avoua tranquillement leur échec en trois mots: «nous revenons bredouilles».

Il n'avait pas la mine déconfite qu'escomptait Madame Fontigny qui s'écria de sa voix suraiguë:

- Vous êtes une belle paire de minables, vous deux, et elle sembla vexée du regard complice qu'ils échangèrent.

122

Sébastien se réveilla tard le lendemain matin, il n'avait pas rêvé de la duchesse. Le soleil brillait et le garçon se précipita à la fenêtre. Devant la porte de l'auberge, son père fumait. Instinctivement il leva la tête et il désigna du tuyau de sa pipe l'église adossée au ciel bleu.

- Hé, mon grand, regarde. La lumière est éteinte. Il y a des gens plus capables que nous.

Et tous deux ils éclatèrent d'un même rire.

UN CHÈQUE DIVISIBLE PAR ONZE

La chaleur d'août s'abattit sur lui à la sortie de l'étude du notaire. Julien fit quelques pas et s'adossa au kiosque à journaux. Trois minutes s'écoulèrent les yeux fermés. Julien s'épongea. La transpiration collait contre sa poitrine la chemise où se dissimulait le chèque dans la poche boutonnée de gauche. Une cachette sûre quand on ne porte pas de veston.

Pourquoi aurait-il mis un costume pour aller chez le notaire. La lettre de convocation de Maître Sureau mentionnait seulement le jour et l'heure de la réunion où il donnerait lecture du testament de la Tante Florence. Julien s'était offert un jour de congé, on ne sait jamais ce que peuvent être les dernières volontés d'une vieille fille avare. Maître Sureau avait eu un regard désapprobateur en voyant sa tenue avant de bredouiller d'un air las:

«Je lègue à mon neveu Julien Caron, en reconnaissance des services qu'il m'a rendus, toutes les obligations en dépôt à la Banque Nationale de Paris dont je serai propriétaire lors de mon décès. Je charge mon exécuteur testamentaire Maître Horace Sureau, de vendre ces titres et de régler la somme nette obtenue, droits de succession déduits, à Julien Caron.»

En tendant le chèque barré à son nom, le notaire avait cru intelligent d'ajouter que cet héritage lui permettrait de changer d'existence. Quelle connerie ! Le Sureau connaissait seulement de sa vie qu'il était un célibataire de vingt-deux ans comptable dans un supermarché. C'était mince pour diagnostiquer ce qu'il ferait de son fric. Peut-être le bonhomme l'enviait-il d'être assez jeune pour changer d'existence au mois d'août.

Je suis riche ! Cette pensée rendit à Julien son élasticité. Il marcha d'une allure souple parmi les promeneurs accablés de soleil, nullement pressé de déposer le chèque à la banque où il cesserait d'être un trésor palpable. Quel était donc le montant exact du chèque ? Julien n'y avait jeté qu'un coup d'oeil rapide, mais enregistré qu'il comportait six chiffres différents et en champion de calcul mental découvert que le nombre était divisible par onze. Il hésitait entre 352.418 et 352.814 francs. L'interversion du 4 et du 8 représentait 396 francs, une paille aujourd'hui qui ne l'aurait pas été hier encore.

Julien avait soif. Il s'installa au jardin d'un bistrot à l'ombre d'un marronnier cossu. Les tables étaient du même vermillon que les ongles de la fille qui vint prendre sa commande. Une étudiante sans doute, profitant des vacances pour se faire de l'argent de poche, à en juger par sa maladresse à verser la bière. La mousse dégoulinait du verre sur le carton orné d'un scorpion. Mon signe du zodiac, se dit-il, ravi de la coïncidence. La bière était fraîche. Julien se sentait léger. Il tâta la poche gauche de sa chemise. Le chèque émit un crissement sympathique. La générosité posthume de la grand-tante Florence, si près de ses sous de son vivant, était une agréable surprise. Julien se promit de fleurir sa tombe un matin qu'il ferait moins chaud.

La serveuse aux ongles vermillon s'aperçut que son verre était vide et le posa sur un plateau. Julien lui sourit pour montrer qu'il admirait sa peau hâlée de brune à travers la blouse transparente. Elle ne daigna pas remarquer l'insistance de ses regards. Déçu, Julien commanda une seconde bière. Elle l'apporta. Julien but, paya et laissa un pourboire normal. Ce n'était pas parce que son compte en banque allait être multiplié par cent qu'il fallait combler de largesses cette jolie fille blasée.

La fortune tombée du ciel, un titre de film pour Nicole, se dit-il en passant devant la vitrine d'un magasin qui exhibait ces frusques bariolées à la mode qu'elle convoitait et ne pouvait se payer. Elle ne cachait pas sa frustration aux copains qui, presque aussi fauchés qu'elle se contentaient de régler à tour de rôle ses consommations. Si Nicole apprenait que Julien le gagne-petit était transformé en capitaliste, ça ne raterait pas, elle jouerait la comédie du coup de foudre à retardement et ne refuserait pas de coucher avec lui. Ce serait agréable de s'envoyer cette pépé autrement qu'en rêve. Oui, mais à quel prix ? Un soir qu'il la pelotait sur la banquette arrière de la bagnole de Gaston et s'excitait, Nicole l'avait repoussé. Un peu saoule, elle avait eu la franchise de déclarer qu'une fille n'ayant pas le rond dès le vingt du mois se méfie des types qui n'ont en tête que de la baiser. Elle devait d'abord penser au lendemain, c'est-à-dire à l'argent, c'est-à-dire réserver l'amour à l'homme qui aurait les moyens de satisfaire ses désirs de luxe. Julien était bien gentil, il la comprendrait. Julien comprenait. Il calcula qu'un onzième de l'héritage de Tante Florence, 32.038 ou 32.074 francs, n'écornerait guère son capital et suffirait à séduire Nicole. S'il voulait se plier à ses caprices. Il ne le voulait pas. Alors ? La solution était claire: adieu Nicole. Ce ne serait pas compliqué: il s'abstiendrait désormais de rejoindre leur bande à la discothèque, il en avait du reste marre des décibels tonitruants. Nicole n'avait qu'à se rabattre sur Gaston, le moche chef de rayon des tee-shirts, le genre de gars qu'elle pourrait rouler dans la farine. Ainsi soit-il. Adieu Nicole, se répéta Julien. Le chèque de Tante Florence l'avait libéré d'elle. Un début de changement d'existence, ricanerait ce con de notaire. Pourquoi pas ?

La banque n'avait pas l'air conditionné. Malgré les vastes dimensions de la salle des guichets, il y faisait aussi étouffant qu'au dehors. Julien s'arrêta sur le seuil. A même les dalles de marbre des garçons et des filles étaient assis. Immobiles, ils tenaient des perches de bois clair, une trentaine de perches verticales surmontées chacune d'une pancarte où étaient peint en lettres rouge sang: «Nous voulons du travail». «Le chômage à vingt ans est un scandale». «Employez nos cerveaux et nos bras». «Plus de promesses, du boulot». Ces jeunes semblaient regarder le vide, les mains crispées autour des hampes de révolte. Le silence pesait . Des clients de la banque, intimidés par la menace latente, rebroussaient chemin, mais la plupart contournaient l'obstacle en longeant les murs lisses. Une femme enceinte s'aventura entre les groupes et Julien s'engagea dans son sillage. Il n'alla pas loin. Une horloge sonnait midi. Au douzième coup la forêt de pancartes oscilla. Tous les jeunes gens se levèrent et appuyèrent leurs perches contre les piliers de la salle. Des garçons se mirent à dérouler une banderole d'environ cinq mètres qu'ils fixèrent au-dessus des guichets vitrés. Une immense série de zéros rouges se détachait sur fond blanc, interrompue au centre par l'inscription: «Nous comptons pour zéro». Les manifestants, toujours sans bruit et à reculons, se rassemblèrent près des portes-tambour de l'entrée. Soudain ils prirent leur élan et coururent en tous sens à travers la salle, les bras étendus, battant des ailes. C'était un tourbillon de grands oiseaux qui virevoltaient sans but dont monta en sourdine d'abord, scandé plus fort ensuite, le cri: «Nous voulons du travail, du travail, du travail». L'écho répercutait ce cri aigu et amplifiait le tumulte. Les garçons surexcités arrachèrent leurs chemises et le torse nu luisant de sueur les firent tournoyer comme des ventilateurs dans l'air vicié.

De ce ballet du désordre quatre filles se dégagèrent et joignirent les mains pour encercler Julien. Elles improvisèrent autour de lui une danse sauvage, les longs cheveux plongeaient vers le sol et se relevaient découvrant des yeux muets de reproche. «Tu as notre âge, viens témoigner avec nous» y lisait Julien. Comment le pourrait-il donc, il avait un emploi stable, il sentait contre sa poitrine moite le chèque barré, il serait un imposteur s'il entrait dans la ronde de leur détresse et disait «nous» en criant «du travail».

- Pauvre type, dit une des filles.

- Assez. On s'en va, hurla un garçon qui enfilait sa chemise. Rassemblement pour une marche sur les boulevards. N'oubliez pas vos panneaux.

Les grands oiseaux replièrent leurs ailes. Un cortège s'organisa. Ils étaient partis. Au-dessus des guichets où se pressaient les gens demeurait rivée la banderole «Nous comptons pour zéro».

- Il est inutile et absurde de manifester pendant les vacances, dit quelqu'un dans la queue.

- Quand on n'a pas de travail le mot vacances a un autre sens, répliqua son voisin. Je suis de coeur avec ces malheureux gosses.

- Ça ne coûte pas cher d'avoir bon coeur. Ou mauvaise conscience.

- Merci de la leçon, Monsieur. Ça ne coûte pas cher d'être sarcastique.

Les deux hommes s'épongèrent le front en même temps et ce geste simultané termina l'algarade. Le tour de Julien arriva, il demanda de créditer son compte du montant du chèque qu'il avait endossé. L'employée lui remit le reçu d'un dépôt de 352.814 francs qu'il se hâta de fourrer en poche.

Julien quitta la banque. Il s'imaginait qu'en se délestant de son bout de papier à six chiffres il retrouverait la tranquillité d'esprit qu'avaient troublée les scènes auxquelles il venait d'assister. Il voulait oublier la sarabande des chômeurs, les propos des hommes devant les guichets pare-balles. Mais dans la rue il retrouva l'obsession du regard de la fille aux longs cheveux lorsqu'elle avait dit: «pauvre type». Deux mots qui l'excluaient des drames et des espoirs de sa génération. Pourquoi ? Simplement parce qu'il avait le privilège de posséder un emploi. C'était trop injuste. Si cette fille décrochait du travail demain, elle n'aurait plus le droit de l'accuser d'indifférence à sa révolte contre une société mal foutue. On ne peut pas me condamner, se dit Julien, de me satisfaire d'hériter de Tante Florence sans pour autant défendre des causes qui ne sont pas les miennes. Je suis responsable de ma vie à moi, c'est bien assez.

Malgré ce beau raisonnement Julien demeurait poursuivi par l'épithète «pauvre type». Il songea un instant qu'en allant à la discothèque où le bruit étouffe les scrupules il ferait partie d'un groupe d'autres pauvres types qui affichaient leur égoïsme et se moqueraient de sa déprime. Mais boire et rire avec eux ne tromperait que lui.

Il s'affala sur le banc d'un square pour réfléchir. Le ciel s'assombrit de nuages épais. L'herbe des pelouses et les fleurs des parterres perdirent leurs couleurs vives. Sentant l'approche de l'orage, une quantité de mésanges, de merles, de moineaux atterrirent. Au lieu de picorer des miettes éparses, ils se pressèrent autour de Julien si nombreux qu'il renonça à les compter. Que lui voulaient tous ces oiseaux à hocher la tête ? se demanda-t-il. De nouveau il était encerclé. Cette fois ce n'était pas comme à la salle des guichets par des jeunes gens qui ressemblaient, il s'en avisait maintenant, aux mouettes et aux corbeaux agressifs du film de Hitchcock mettant sa quiétude sinon sa vie en péril. Il n'avait pas à avoir peur, un pauvre type n'a droit qu'à de petits oiseaux à peine effrayés s'il remue le pied.

Aux premières gouttes de pluie les mésanges s'envolèrent, puis les merles, enfin les moineaux. Julien ne se hâta pas de chercher un refuge, il accueillait avec volupté la fraîcheur bienfaisante de la pluie. Mais le vent se faisait violent et fouettait l'averse de dures bourrasques irrégulières. Julien courut s'abriter dans le même café que le matin. La serveuse aux ongles vermillon le reconnu.

- Seigneur ! s'exclama-t-elle en voyant l'eau dégouliner sur le carrelage. Enlevez vite votre chemise et vos chaussettes que je les mette à sécher. Elle lui tendit une serviette pour s'essuyer les épaules. Attendez.

Elle revint au bout de quelques instants munie d'un profond sac de poubelle en plastique gris et d'un châle de laine verte.

- Drapez-vous dans ce châle de grand-mère et fourrez vos jambes dans le sac qui vous ira jusqu'à la taille. Passez-moi votre pantalon, je le suspendrai sans garantie qu'il conservera son pli. Parfait. Là-dessus un verre de bon cognac pour que vous n'attrapiez pas la crève.

Elle s'affairait avec le sourire que Julien n'avait pas obtenu tout à l'heure. La chaleur du cognac pris à jeun le stimulait. Il se sentait libéré d'être assis sur une chaise dans cet accoutrement ridicule. Il attacha le sac de plastique avec la ceinture de son pantalon.

- Vous êtes gentille, dit-il. Ce matin vous ne sembliez pas me voir.

- Ce matin vous étiez un client. Maintenant vous êtes une personne.

- Une personne ? Lorsque ma chemise aura séché et que j'aurai réenfilé mon pantalon, je serai encore une personne ?

- Une fois qu'on l'a été on le reste, dit-elle. Je vous fais une omelette de trois oeufs, c'est l'unique plat dont j'ai la maîtrise.

Julien la regarda s'éloigner. Elle aussi était devenue une personne. Donc mystérieuse. Donc attachante. Et moi, se demanda-t-il, qu'ai-je de spécial sinon un gros compte en banque qui s'accorde mal à mon aspect de chien mouillé ?

Il se frotta les cheveux avec son mouchoir et se les peigna des doigts au jugé. Un second verre de cognac dissipa ses craintes de cesser d'être une personne pour cette fille qui n'avait rien d'une mouette de Hitchcock.

Elle s'attabla en face de lui pendant qu'il savourait son omelette. Ils étaient seuls à l'exception d'un vieillard fasciné par la fonte des glaçons de son whisky pâle.

- Je me sens mieux, dit Julien. Sacrée omelette et sacré cognac. Il agita le châle vert. Vive la pluie au mois d'août ! Vous prendrez bien quelque chose pour trinquer à la gloire de la pluie, Mademoiselle ?

- Sabine.

Il eut envie d'ajouter «et moi Horace», mais ce foutu notaire avait usurpé le prénom. Sa culture romaine défaillante l'obligea de se rabattre sur la vérité.

- Moi, c'est Julien. Depuis vingt-deux ans sans interruption on m'appelle Julien. Que buvons-nous ?

- De la fine. Ne mélangez pas les boissons. Vous êtes déjà suffisamment euphorique.

- Tu l'as dit. L'euphorie en plein jour. Incroyable mais vrai. Grâce à toi, Sabine.

- Grâce à l'alcool.

- Et grâce à Tante Florence.

La gaffe, pensa Julien. Nom de Dieu, je n'aurais pas dû dire ça. Il faudra expliquer, sans mention du chèque, comment une morte peut me rendre euphorique. Et que l'histoire tienne debout. Heureusement Sabine, en train de remplir les verres, lui laissait le temps de trouver l'inspiration. Il but et mentir à demi devint facile.

- Tante Florence était la tante de mon père. Elle buvait du thé le matin et de la tisane le soir pour vivre jusqu'à quatre-vingt-dix ans. Elle l'a réussi. Le mois dernier Tante Florence a décidé de mourir et s'est empoisonnée proprement en avalant des tas de pilules périmées. Elle m'aimait bien, mais ne comprenait pas que moi j'aie la passion des chiffres. La vieille m'a légué deux choses, le conseil de renoncer aux machines à calculer et ses modestes économies pour que je change de vie. Tu te rends compte ?

Content de s'être exprimé si brillamment, Julien s'attendait à une question qui ne vint pas. Le mutisme de Sabine l'inquiéta. Il se dit que le meilleur moyen de retenir l'attention d'une fille est de lui parler d'elle.

- Ce matin je n'imaginais pas que deux heures plus tard je serais assis en face de toi dans l'euphorie de regarder le hâle de l'été sur ton visage, ton décolleté, tes bras, et cetera.

- Tu es fin saoul.

- Je me sens de mieux en mieux. Lucide. Extralucide. Je sais qu'il est possible de changer sa vie. Sabine, ça ne te tente pas de changer de vie ?

- Impossible, la mienne n'a pas encore commencé.

- Ce n'est pas une excuse. Quel âge as-tu ?

- Je suis née il y a dix-neuf ans le 3 mai 1967 d'un père communiste et d'une mère catholique. Un an après ils ont perdu simultanément la foi.

Julien n'écoutait plus. Il remuait les lèvres, il calculait.

- Formidable ! s'écria-t-il. Tu es née le 3-5-1967. Aligne ces six chiffres différents et tu obtiens un nombre divisible par onze. Le signe du destin. Sabine, il faut que je t'embrasse.

Il se leva, mais s'empêtra les jambes dans le sac de plastique et retomba sur sa chaise.

- Le signe du destin, dit Sabine en riant. Tu es condamné à rester tranquille jusqu'à ce que tu sois sobre.

- Je ne veux pas être sobre, protesta Julien. Que voit-on quand on est sobre? La poussière. Oui, la poussière de tous les jours. Et des cages de plastique. Partons.

Il joignit les bouts du châle en forme de flèche qu'il dirigea vers la poitrine de Sabine.

- La pointe de ma fusée exploratrice de notre avenir. La mise à feu se prépare. Le compte à rebours sera de onze secondes. Onze et pas les dix secondes traditionnelles qui n'ont aucun sens. Dix est une putain, il ajoute zéro. Mon rêve est de réhabiliter le nombre onze, le plus mystérieux des nombres premiers. Il fait peur aux gens sobres, Moïse n'a pas osé nous donner un onzième commandement et le monde est malade. Comptons ensemble à rebours.

- C'est bizarre, dit Sabine. Tu emploies des mots ordinaires et je ne comprends pas tes phrases. J'ai mon bac, je désire comprendre. Tu es si agité, Julien, calme-toi.

- Non. On n'appareille pas par calme plat. Hissons la voile.

Julien parvint à se mettre debout et agita au-dessus de sa tête le châle vert pomme. Il s'aperçut dans un miroir, poitrine nue, cheveux hirsutes, exactement comme les garçons à la banque qui faisaient tournoyer leurs chemises. Il se rassit, dégrisé.

Le coup sec d'un couteau contre un verre vide.

- Mademoiselle, appelait de son coin le vieillard solitaire. La même chose.

Sabine le servit en silence et replaça la bouteille de whisky sur l'étagère.

- Ce pauvre type, chuchota-t-elle, vient chaque jour à midi. Les seules paroles qu'il prononce sont: la même chose.

- Il est vieux, lui, dit Julien.

LE RENDEZ-VOUS DE NANNY MAY

Ce matin, en me réveillant, j'étais joyeux. Ma vieille Nanny May m'avait envoyé le message d'être à quatre heures demain dimanche sur le quai numéro treize de la gare du Midi.

Ma joie s'est muée en surprise. Nanny May habitait New-York et ma dernière lettre pour son quatre-vingt-douzième anniversaire était revenue au bout de plusieurs semaines avec la mention «Partie sans laisser d'adresse». J'avais pensé qu'elle était morte et que sa voisine n'ayant pas mon adresse ne pouvait me le confirmer. Ce n'était donc pas vrai. Je l'avais vue et entendue si nettement en rêve que j'étais sûr qu'il fallait obéir à Nanny May comme d'habitude depuis plus de cinquante ans. Pourtant je me posais des questions: pourquoi me parlait-elle par transmission de pensée au lieu de télégraphier ? pourquoi cette venue soudaine à un âge où on se déplace avec une canne ? pourquoi arrivant d'Amérique me donner rendez-vous à la gare du Midi plutôt qu'à l'aéroport ? J'ai décidé de ne pas attacher d'importance à ces réflexions logiques, je me réjouissais trop de revoir Nanny May.

A ma naissance, que personne ne souhaitait, mon père travaillait à Tombouctou et ma mère ne voulut pas m'emmener dans le désert, elle avait déjà assez de problèmes à élever mes trois frères. Mes parents m'avaient confié à Nanny May, une nurse ravie de se charger entièrement d'un bébé presque orphelin, ils s'étaient dit que je serais bien soigné et que j'apprendrais l'anglais. Ils ne se doutaient pas qu'il y aurait la guerre en Europe et que Nanny May serait ma vraie famille. Je l'adorais à cause du sourire de ses yeux bleu ciel, de son sens de l'humour et de ses histoires fantastiques. Elle prétendait que grâce à moi elle n'avait pas eu le loisir d'épouser un de ces hommes insupportables qui n'admettent pas qu'ils sont toujours des enfants. Je suppose que je suis demeuré un enfant malgré mes cheveux grisonnants puisque je n'ai pas cessé de croire aux apparitions.

J'avais raison d'y croire. Dimanche, à quatre heures juste, un train s'est arrêté le long du quai numéro treize. Des voyageurs sont descendus. J'ai cherché Nanny May. Je l'ai enfin aperçue. Elle agitait sa canne en signe de bienvenue. Elle n'avait pas de valise et portait son éternelle robe gris perle. J'ai couru à sa rencontre pour l'embrasser. Au moment où je n'étais qu'à quelques pas d'elle, Nanny May a pointé sa canne à hauteur de ma poitrine et j'ai lu dans ses yeux bleu ciel que je ne devais pas approcher davantage.

Nous étions tous deux émus d'être ensemble sur le quai de la gare du Midi à nous regarder et à nous sourire.

- Tu es à l'heure, dit Nanny May.

- Ce n'est pas étonnant. Tu m'as inoculé le virus de l'exactitude. C'est merveilleux de te retrouver. J'avais des remords de n'avoir pas réussi en trois ans à te rendre visite. Tu n'as pas changé.

- Je ne changerai plus jamais, Diddy-boy. Tu ne le savais pas ?

Elle était la seule à m'appeler Diddy. Je me sentais le coeur brouillé. Je craignais d'entendre ce que je n'osais deviner.

- Il est simple de mourir si on ne regrette rien, dit Nanny May de sa voix douce. J'étais fatiguée de vieillir. Pour les gens du quartier j'étais la drôle d'Anglaise qui radote le passé. Mes souvenirs n'amusaient que moi. Je me survivais. J'ai eu la chance de m'en aller avant de devenir gâteuse.

Je ne comprenais pas. Elle s'appuyait sur sa canne comme si...

- Qu'est-ce que tu racontes, Nanny May. Tu es ici, tu parles, tu me souris, tu t'appuies sur ta canne...

- Tu vas comprendre.

Nanny May adopta le ton d'autrefois, de mon enfance. Elle expliqua que les âmes, lorsqu'elles quittent le corps, se présentent au ciel devant un tribunal où on ne leur pose qu'une question: voulez-vous entrer au paradis réservé à ceux qui acceptent de perdre la mémoire de la vie sur terre ? La plupart des âmes ont appartenu à des indifférents et à des égoïstes qui ne se souciaient d'autrui que par rapport à eux-mêmes, ou à des malheureux désireux de tout oublier. Ces âmes répondent oui et sont aussitôt précipitées dans le vide absolu. Au contraire, certaines âmes ne peuvent se détacher du monde où elles ont aimé et espéré construire l'avenir. Celles-là ont le droit de suivre ce qui continue à s'y passer de l'observatoire du ciel. Bientôt elles commencent à souffrir de rester là en spectateurs et de ne pouvoir se mêler des affaires terrestres. Elles brûlent d'intervenir, les grands-mères dans l'éducation déplorable de leurs petits-enfants, ou les patrons pour s'opposer aux initiatives de successeurs qu'ils n'ont pas choisis, ou les artistes, surtout les artistes, révoltés de l'interprétation qu'on se permet de donner à leurs oeuvres. L'enfer, c'est ça, l'impuissance de corriger les erreurs des autres. Lorsque la torture est insoutenable, ces âmes se résignent à risquer le paradis.

- Et toi, Nanny May ?

- Je suis paraît-il un cas spécial. Comme je n'ai pas l'ambition de jouer un rôle parmi les vivants, il est impossible de m'expédier en enfer. Mais je m'obstine à refuser leur paradis tant que je n'aurai pas la certitude que mon Diddy-boy est heureux. A travers le télescope céleste on distingue mal ce genre de choses. Alors, pour sortir de cette situation embarrassante, le Grand Juge m'a accordé la faveur unique de revenir sur terre avec ma forme humaine le temps de voir de mes propres yeux si tu es un homme heureux. Réponds-moi quand j'aurai compté jusqu'à dix.

Elle compta très lentement, en anglais. Je compris que ma réponse marquerait notre séparation définitive.

- ... Six, seven, eight...

Nanny May s'interrompit:

- Il est défendu de mentir aux morts. Je reprends: six, seven, eight, nine, ten.

- Il était une fois, dis-je pour retarder l'inéluctable, une Nanny May qui a réussi à me transmettre ce qu'elle possédait de plus précieux. Elle m'a communiqué par contagion une maladie rare qu'on nomme l'optimisme du bonheur. Je n'ai pas guéri de cette maladie. Je suis un homme heureux.

- C'est bien. Maintenant, Diddy-boy, descends sans te retourner les marches de l'escalier qui mènent vers ta vie à toi.

Comme d'habitude, j'ai obéi à Nanny May.

LE CORBILLARD DU COMTE

Pieds nus devant le miroir de sa chambre aux rideaux tirés à cause du soleil, Dora brossait ses cheveux blonds. La cloche de l'entrée résonna, mais la jeune femme continua de se brosser les cheveux. Elle ne faisait pas attention à la cloche dont les gamins de Mougins s'amusaient souvent à tirer la chaîne sur le chemin de l'école. Le comte s'était entêté à la conserver sans plus se rappeler les souvenirs de la Russie des tzars que sa voix de bronze devait évoquer.

De nouveau le son répété de la cloche. Le dimanche les enfants ne vont pas à l'école, quel était donc l'importun qui refusait d'appuyer l'index sur le bouton de sonnette ? Dora, satisfaite de son lourd chignon doré, descendit enfiler des espadrilles abandonnées dans le vestibule et ouvrit la porte de la villa. Un homme brun d'environ trente ans en chemise à manches courtes la salua.

- Je me présente, dit-il. Guy Martin. Les pompes funèbres Martin père et fils, de Cannes. C'est bien vous, Madame, qui avez téléphoné ?

- Excusez-moi , j'avais oublié. Bon, entrez, il fait atrocement chaud dehors.

Guy Martin entra. Il ressemblait à un moniteur de club de vacances. Dora était soulagée qu'il n'ait pas une mine funèbre, il serait plus agréable de discuter les détails de l'enterrement avec ce beau garçon.

- Prenons d'abord un pastis, dit-elle. Il rafraîchit les idées. Je suis un peu perdue, Monsieur Martin.

Ils burent. Dora se demandait comment débuter l'entretien. Elle envoya sous le canapé les espadrilles rouges qui juraient avec sa robe verte. Elle n'avait pas encore songé à une robe de deuil.

- Vous faites un métier pénible, dit-elle.

- Il a comme tout métier ses avantages et ses inconvé-
nients. Nous devons répondre aux appels jour et nuit sept jours
par semaine.

- C'est vrai, on meurt égoïstement n'importe quand. Vous
avez de la chance de ne pas risquer d'être au chômage.

Le jeune homme sourit à cette remarque. Il était
charmant. Dora remplit les verres.

- Asseyons-nous, dit-elle. J'ai des tas de choses à vous
expliquer. Soyez patient.

- Je suis là pour vous aider à résoudre vos problèmes,
Madame.

- Merci. Les problèmes ne manquent pas. J'étais si
habituée à m'occuper du Comte que je réalise encore mal qu'il
soit mort. Il a eu un premier infarctus il y a quatre ans. Je
travaillais alors comme infirmière à la clinique de Cannes du
docteur Cuissart et le Comte Vladimir a accepté que je vienne
tous les matins lui donner des soins parce que je suis mi-russe
mi-anglaise. C'était un homme difficile, exigeant, un enfant gâté
qui ne se résignait pas d'avoir été dépouillé par les bolcheviks
de la majeure partie de sa fortune. Quand son état a empiré
et qu'il fallait quelqu'un la nuit, je me suis installée ici. Le vieil
avare me payait chichement, et appréciait que je n'attache pas
d'importance à l'argent.

- Ce n'était pas le seul motif, dit Guy Martin en détaillant
avec insistance la jolie fille qui buvait du pastis.

- En effet, il aimait les femmes. J'ai repoussé ses avances,
je n'aurais pas toléré qu'il me touche de ses mains de vieillard.
Je m'en tenais strictement à mon rôle d'infirmière. Le jour où
il a su que son unique neveu avait des opinions gauchistes, il
m'a proposé de l'épouser pour déshériter ce garçon indigne.
J'ai consenti quand une nouvelle attaque l'a complètement
paralysé. Comme il était demeuré lucide et avait l'usage de la
parole, le maire de Mougins n'a pas eu d'objections à célébrer
le mariage dans cette maison et un pope orthodoxe nous a
bénis. Ils ont trouvé normal qu' à vingt-cinq ans j'épouse une
momie de quatre-vingts ans pour son argent et pour être une

authentique comtesse. En réalité le Comte, je veux dire mon mari, me laisse surtout des dettes.

Dora désigna d'un geste circulaire les objets du salon.

- Un commissaire priseur ami m'a révélé que la plupart de ces toiles et de ces bibelots anciens sont des faux. Le Comte, j'en ai la preuve, le savait. Son but était de créer un décor russe d'autrefois, certain que personne ne soupçonnerait le noble Vladimir de s'entourer d'oeuvres d'art fausses. Il a toujours eu le goût du mensonge et notre mariage était un mensonge de plus. La vérité est que je n'ai presque pas d'argent. Je vous raconte tout cela pour que vous compreniez mon problème d'exécuter ses dernières volontés: un service avec des choeurs russes à l'église orthodoxe Saint Alexandre Nevski, rue Daru, à Paris, et l'inhumation au père Lachaise.

Dora regarda Guy Martin dans les yeux. Il fit signe qu'il comprenait.

- Pouvez-vous arranger les choses et transporter le corps par la route pour un prix raisonnable ? Le Comte, c'est-à-dire mon mari, a rédigé sa propre notice nécrologique, un tissu de mensonges dont il répondra devant Dieu. Je ne me sens pas le droit d'y changer un seul mot.

- Nous avons un correspondant à Paris, dit Guy Martin. Il se chargera volontiers des formalités à l'église et au cimetière et m'en indiquera le coût exact. La principale dépense sera la location du corbillard pendant deux jours, les frais du trajet Cannes-Paris aller-retour et de la nuit que notre chauffeur devra passer à Paris. Vous comptez suivre en voiture ?

Dora réfléchit. La perspective de rouler mille kilomètres derrière un corbillard était au-dessus de ses forces. La sentant hésiter, Guy Martin lui suggéra la formule moins onéreuse du chemin de fer.

- Non, dit-elle. Le Comte, c'est-à-dire mon mari, avait horreur du train. Je ne peux pas le lui imposer après sa mort. Le plus simple serait que je m'installe à côté de votre chauffeur. Nous bavarderons, le temps paraîtra plus court.

- Mais, comtesse, vous n'y pensez pas. Cela ne s'est jamais vu. Que dira la famille ?

- Le Comte n'avait que le neveu qu'il a puni de défendre des opinions de gauche. Et moi je me moque de votre conformisme. Il n'y a rien de sacrilège à ce que je partage le véhicule qui emmène mon mari vers sa dernière demeure. Le boyard aurait apprécié qu'en son honneur je méprise les convenances bourgeoises pour l'escorter seule sur mille kilomètres d'autoroutes. Et le vieil avare se réjouirait que mon sacrifice me vaille de réaliser une sérieuse économie par un aller-retour gratuit en corbillard. Ne nous décevez pas, le Comte et moi, Guy Martin.

Le sourire anxieux de Dora produisit l'effet qu'elle escomptait.

- Puisque la famille de votre mari ne s'opposera pas à ce projet et que vous êtes l'unique héritière du défunt, nous obéirons à vos ordres. Si vous acceptez notre devis des funérailles qui sera aussi modéré que possible, je vous téléphonerai les jours et heures du service religieux et de l'inhumation. Je prévois que ce sera mercredi. Mais il faudra procéder dès demain à la mise en bière.

- Mon cher, vous êtes la Sainte Providence. Demain après-midi sera parfait. D'ici là je me procurerai la robe noire dont j'aurai en tout cas besoin pour le voyage avec votre chauffeur. Choisissez un homme sympathique.

Dora reconduisit Guy Martin qu'elle aurait embrassé s'il n'avait été des Pompes Funèbres Martin père et fils. La porte refermée, elle se versa un troisième pastis et le verre à la main monta chez le Comte. Le corps enveloppé d'une vieille étoffe de brocard rouge dont n'émergeait que le visage aux yeux clos, il semblait serein. Dora le savait, ce n'était qu'une apparence. Comme tous les menteurs, le Comte avait peur de la mort et sa sérénité était un ultime mensonge. Il s'était acharné, depuis l'exil de Russie, à nier la réalité pour lutter contre la souffrance d'être en France un sans patrie. Il avait opposé au monde réel des autres un univers à lui bâti en trompe-l'oeil où il régnait en maître absolu et eu la force de falsifier jusqu'à ses souvenirs.

A ce degré le mensonge est une forme de courage, se disait Dora. Elle le sentait, l'emprise du Comte sur elle provenait de là, il l'avait entraînée à vivre hors de la vie. Elle avait cru n'avoir éprouvé de la pitié que pour un vieil homme paralysé, et découvrait aujourd'hui qu'elle plaignait son âme qui ne trouvait pas un refuge dans la réalité de la mort. Elle le contempla, étonnée d'être si émue. Selon le rite de chaque jour à cette même heure, elle caressa doucement son front et murmura: «Comte Vladimir, je veille sur vous».

En costume de circonstance, Guy Martin avait accompagné les hommes qui apportaient le cercueil. Le Comte était lourd, il dut les aider à l'étendre dans la bière capitonnée. Dora avait épinglé sur la poitrine du Comte les décorations russes qu'il avait acquises au fil des années. Personne désormais ne lui contesterait la faculté de s'en parer.

- Le service à l'église aura lieu mercredi à deux heures et demie, dit Guy Martin, ce qui permettra d'arriver au Père Lachaise avant la fermeture. J'ai pensé que pour éviter la dépense de deux nuits à l'hôtel, il faudrait partir d'ici vers trois heures du matin au plus tard. Le corbillard peut rouler à du 130 si vous n'y voyez pas d'inconvénient.

- Je serai prête. Une infirmière ne craint pas de se lever n'importe quand ni de dormir n'importe où, même à du 130 en corbillard.

- Je vous admire, Comtesse, dit le jeune Martin. Nos clients n'ont pas en général votre réalisme. Nous allons déjà placer le cercueil sur un tréteau roulant, un homme suffira à le pousser dans la voiture. Ainsi que vous l'avez demandé, la nécrologie sera publiée demain par le journal russe de Paris.

Dora le remercia et régla l'acompte fixé. Les dernières volontés du Comte seraient respectées à la lettre. La conscience du devoir accompli la délivrait de tout soucis pour ces funérailles qu'à part des nostalgiques d'une Russie disparue personne ne suivrait. Comme pendant ces années de Mougins de tête à tête avec le Comte, qui n'était presque jamais troublé depuis que le neveu gauchiste se savait déshérité. Mais le couvercle du cercueil cloué, le boyard avait perdu le pouvoir de la tyranniser. Dora ressentait pourtant de l'oppression et regarda autour d'elle avec le regard d'une étrangère en visite. Bon Dieu, comment n'avait-elle pas remarqué à quel point cette baraque se déglinguait à cause de l'avarice du Comte. L'argent que coûtait l'enterrement aurait permis de repeindre plusieurs pièces, de remplacer les tentures mangées par le soleil ou de réparer les tapis usés par l'aspirateur. Rendue attentive, Dora poursuivit son inspection. Le salon où elle poussait quotidiennement le fauteuil du Comte était sinistre. Les bibelots qui l'encombraient, elle le comprenait soudain, étaient morts en même temps que lui. Ils avaient incarné ses fantasmes et sans lui ne représentaient rien. Il lui serait impossible de respirer dans ce décor de reflets éteints. D'un geste résolu, Dora décrocha le téléphone et prit rendez-vous avec un notaire de Cannes en vue de bazarder la villa et son contenu, tout son contenu. Alors elle serait vraiment libre. En attendant de faire le vide, elle alla au jardin arroser les romarins. Ils étaient l'offrande de malades reconnaissants et elle les avait plantés au fur et à mesure en les dotant du nom de chaque donateur et de l'opération qu'il avait subie. Elle arrosa Lucile la jambe cassée, Augustin les brûlures, la petite Anne l'appendicite, Hector la hernie, Amélie la césarienne. Les fleurs qui grandissent en pleine terre sont pour les vivants, les fleurs coupées pour les morts. Dora composa elle-même la gerbe du Comte.

Le lendemain elle ne répondit pas au coup de sonnette matinal du facteur. Elle ne désirait pas qu'il voie le cercueil en évidence au milieu du vestibule et répande au village la nouvelle que la Russe était enfin veuve. Aussi peu une vraie veuve qu'une véritable Comtesse, se dit-elle. Les gens aiment ce genre d'étiquettes pour vous ranger dans des catégories toutes faites et donc absurdes. Les titres de noblesse conservent du prestige. Le séduisant Guy Martin ne l'avait-il pas appelée Comtesse, moins sans doute par courtoisie professionnelle que pour marquer sa déférence envers une cliente dont la fantaisie de se rendre à Paris en corbillard était le signe d'un dédain qu'il supposait aristocratique des conventions bourgeoises. Son empressement, se dit Dora, pouvait avoir une autre cause et elle joua avec l'idée qu'il serait aussi du voyage.

A trois heures du matin elle ne fut qu'à demi surprise de reconnaître dans le chauffeur vêtu de noir le patron en second des Pompes Funèbres Martin père et fils. Il expliqua qu'il devait payer un double salaire à ses employés lors de déplacements dépassant huit heures. Pour réduire les frais, il avait donc assumé la mission de conduire lui-même le Comte et la Comtesse à Paris. Du reste il souhaitait vérifier le parfait déroulement de la cérémonie.

- J'ai enlevé les lanternes et la croix caractéristiques du corbillard, dit-il, de manière à préserver son anonymat pendant le trajet. C'est plus discret et nous roulerons vite.

Il avait pensé à tout. Des coussins garnissaient le siège avant. Dora s'installa. La longue limousine fonçait à travers la nuit. La pleine lune apparaissait et disparaissait selon les sinuosités de la route. Dora pensait au Comte. Il était là, derrière la cloison, dans le cercueil recouvert d'un drap noir à franges d'argent, terriblement proche. Elle percevait sa souffrance et en connaissait la cause. Le Comte était jaloux de Guy Martin comme il avait été jaloux de tout ce qui bougeait dans le monde ennemi, même des romarins dont elle murmurait les noms amis en les arrosant. Il avait eu la sagesse de ne pas demander ce qu'elle faisait hors du champ de vision de son regard, il n'exigeait de la loyauté qu'à l'intérieur des frontières du monde clos où il l'avait admise. Dora s'efforçait de ne pas l'inquiéter, elle portait en général sa blouse d'infirmière et parlait de gens seulement pour s'en moquer. Bien que le Comte ait eu l'orgueil de la dissimuler, sa jalousie avait crû avec les années. Et maintenant Dora l'entendait dire, dans son dos, qu'elle trahissait sa confiance en partageant le siège d'un homme qui la convoitait. Ce corbillard était son corbillard à lui, une partie de son domaine interdit. Dora protesta, elle n'avait pas choisi le chauffeur, on n'est pas jaloux de n'importe qui, a fortiori d'un croque-mort en service commandé. Elle payait le transport et il fallait bien que quelqu'un conduise la voiture. Qu'il soit jeune ou vieux n'importait pas, il fallait d'abord que les volontés du Comte soient exécutées. Ce jour de ses funérailles était sacré. Malgré cela, se disait Dora, le Comte avait raison de ne pas être convaincu. Elle tourna la tête vers la droite pour ne plus voir le profil net de Guy Martin que la lune moulait par éclipse. Elle s'enfonça dans les coussins, fit semblant de s'endormir et s'endormit.

Le soleil brillait lorsqu'elle se réveilla. Dora avait emporté un thermos de café et des petits pains, ils cassèrent la croûte sans descendre de l'auto. Guy Martin dit qu'ils étaient en avance sur l'horaire, ils auraient le temps de déjeuner à Paris dans une crêperie bretonne près de l'église si la Comtesse aimait les crêpes.

- Nous verrons, dit Dora.

Ils roulèrent de nouveau en silence. Parfois le jeune homme désignait du doigt un joli site de la vallée du Rhône et sa main revenait s'agripper au volant à regret. Il avait des mains viriles. Dora se demanda ce qu'elle ferait s'il posait la main sur sa cuisse. Cette pensée la troublait. Elle appela le Comte au secours pour échapper à la menace. Mais le Comte refusait de raconter une de ses histoires fabuleuses qui romprait le silence et Dora se sentait plus prisonnière que lui de ce maudit corbillard. Comment supporter encore cinq cents kilomètres jusqu'à Paris à se poser des questions.

A la sortie de Lyon un jeune homme adressait aux voitures indifférentes le signe de l'auto-stop. Un drapeau anglais ornait son havresac.

- Arrêtez, cria Dora, avant qu'ils ne soient à sa hauteur.

- Pardon, Comtesse, vous oubliez que nous sommes en corbillard.

- Ce garçon est un Anglais. Il n'aura pas peur de voyager à côté d'un cercueil. Veuillez arrêter.

Guy Martin freina et Dora descendit. L'auto-stoppeur courut à sa rencontre.

- Vous êtes un ange, Madame, dit-il avec un fort accent parisien. Il y a deux heures que j'attends qu'une foutue bagnole accepte de me prendre.

Dora sourit.

- Pourtant je ne suis pas sûre que vous aurez le cran de monter dans ma foutue bagnole.

- Vous transportez de la drogue ? Vous avez la police à vos trousses ? Si ce n'est que ça !

Dora le dévisagea. Il avait une bonne tête ronde, ses cheveux et son pantalon étaient propres. Elle lui donna vingt ans.

- Si la police me poursuivait, je ne me serais pas arrêtée à la vue de votre fanion anglais. L'ennui est que vous n'êtes pas un Anglais habitué aux fantômes.

Le garçon fouilla ses poches sans trouver ce qu'il cherchait.

- Vous devez me croire sur parole, Madame, si je vous affirme que j'ai la nationalité Anglaise. D'accord, j'étudie à Paris depuis le lycée et je lis Shakespeare en traduction. Mais je suis né à Manchester, mon pavillon britannique est honnête, je comptais sur lui pour attendrir un compatriote. Le truc a réussi puisque vous avez stoppé. Dites, vous allez m'embarquer même si je ne crois pas aux fantômes ?

- Cela dépend de vous. Etes-vous assez anglais pour rouler là-dedans ?

Le jeune homme regarda à l'intérieur du corbillard et eut un mouvement de recul en apercevant la cercueil drapé de noir. Guy Martin observait la scène dans le rétroviseur de la voiture.

- Eh bien ? dit Dora.

- Qui est-ce ? demanda le garçon.

- Un véritable Comte russe. Il ne vous fera aucun mal.

- Un Comte russe ? Bon, ça me va. L'Anglais balança son sac près du cercueil. Je suis mince, il y a juste la place. Je grimpe ?

- Comment vous appelez-vous ?

- Richard Knight. On me dit Dick.

- O.K., Dick. Grimpez.

Dora regagna son siège à côté de Guy Martin renfrogné. Elle avait remporté sur lui une victoire qu'elle réfréna l'envie de chantonner. Grâce à l'apparition providentielle du jeune Dick, elle retrouvait tout son sang froid et la maîtrise de la situation. Le Comte se réjouissait certainement aussi de la présence à bord d'un tiers qui ne coûtait rien.

La circulation se faisait plus dense. Au dernier péage avant Paris les voitures formaient une longue queue et ne progressaient que par saccades. Dick en profita pour s'extirper du corbillard. Il frappa à la vitre de Dora.

- On s'ankylose dans votre machin. Ne peut-on pas rabattre la planche de l'arrière, ça me permettrait de laisser pendre les jambes.

- Nous verrons au-delà du péage, dit Dora qui rejoignit l'Anglais sans demander l'avis des Pompes Funèbres Martin. Marchons, nous avons besoin de nous dégourdir.

Ils dépassèrent d'un bon pas les automobilistes cloués à leur volant, surpris et mécontents.

- C'est amusant, dit Dora, de contourner librement les guichets du péage. J'ai l'impression de franchir une frontière en contrebande.

- Et moi, Madame, je suis la marchandise que vous voulez frauder ?

Ils rirent. Le soleil brillait.

- Vous pouvez m'appeler Dora.

- Dora ? A cause de vos cheveux dorés ?

- Mes parents ignoraient à ma naissance que je serais blonde. Ils ont choisi un prénom facile à prononcer dans toutes les langues et qui n'a pas comme le vôtre de diminutif possible. Le Comte le russifiait en Doratchka.

Lorsque Guy Martin se rangea au bord de la route, la décision de Dora était prise. Avec l'aide de Dick elle abaissa le panneau de fond du corbillard.

- Le cercueil est bien arrimé, dit-elle. Mais, nous, nous risquons de glisser au moindre coup de frein.

- Nous ? Vous avez dit nous, s'exclama Dick. Vous comptez donc me demander asile dans mon carrosse ? Formidable !

A son insu, pensa Dora, le jeune garçon enthousiaste avait employé le mot juste. C'était un asile qu'elle trouverait en s'installant à l'arrière du véhicule à l'abri des entreprises de Guy Martin. Celui-ci, résigné à endurer le pire d'une cliente toquée, les aida à s'attacher avec des courroies aux rails du corbillard et il tendit à Dora un coussin pour protéger sa robe.

- Je décline toute responsabilité, Comtesse, dit-il d'une voix maussade.

Dès que la voiture démarra, Dick saisit le poignet de Dora.

- J'ai bien entendu ? Vous êtes une comtesse ? La fille du mort ?

- Je ne suis pas sa fille.

Dora n'en dit pas davantage. Elle éprouvait une sensation de vitesse effarante à rouler sans parapet dos à la route. Le paysage proche s'aplatissait et ne prenait de consistance que dans le lointain comme au cinéma si la caméra escalade la pente inclinée des gratte-ciel. Elle se détendit quand d'une voiture de sport décapotable des jeunes gens adressèrent à leur couple enchaîné des signes joyeux.

- S'ils savaient que nous escortons un cercueil ! remarqua Dick.

- Vous aurez une aventure à raconter, n'est-ce pas.

- Et quelle aventure ! On ne va pas me croire.

- Vous direz avoir vécu une histoire russe. Il était une fois un boyard qui menait sur la Côte d'Azur une existence fastueuse. Il trônait dans les lieux à la mode, on se montrait la canne au pommeau d'argent ciselé dont il ne se séparait jamais. Le Comte jouissait du respect tant des notables flattés d'être accueillis dans sa demeure de Mougins, où des cierges brûlaient devant les icônes, que du peuple ébloui par sa courtoisie et ses largesses. Il maniait l'art du compliment avec une telle habileté que les femmes les plus blasées s'épanouissaient à l'entendre. On lui prêtait d'innombrables conquêtes. Ce grand seigneur d'une autre époque semblait éternel, personne ne s'apercevait des rides qui s'étaient creusées au coin de ses yeux malicieux. Mais samedi dernier il eut un étourdissement. Il ne pouvait supporter l'idée d'une déchéance due à la vieillesse et à la maladie. Sans hésiter le Comte Vladimir but coup sur coup plusieurs verres de vodka et passa de l'euphorie de l'ivresse à l'inconscience de la mort, fidèle à l'image qu'il désirait laisser de lui. Des funérailles grandioses célébreront sa mémoire.

Dick, impressionné, gardait le silence. Dora mit la main sur le drap du cercueil. Le Comte y reposait emprisonné par ses mensonges qui lui donnaient la stature qu'il souhaitait. Il serait pour le jeune Dick de vingt ans un de ces héros qu'on rêve de rencontrer et ne sont que des ombres. Pour moi aussi, se dit-elle, seul le personnage que j'ai inventé survivra. L'homme qu'il ne voulait pas être est définitivement mort.

- Puis-je assister à l'enterrement ? demanda Dick.

- Non. Vous n'avez pas de cravate. Je vous déposerai place de la Concorde. Ça va ?

- Il faut bien, c'est vous le patron.

Pendant le reste du voyage ils n'échangèrent que des banalités. Dick descendit rue de Rivoli et Dora reprit sa place à l'avant. Tout rentrait dans l'ordre. La chance était avec Guy

Martin: il trouva un stationnement proche de la crêperie bretonne.

- Je suis affamée, dit Dora.

Les crêpes étaient délicieuses. A eux deux ils vidèrent une bouteille de Sancerre et Guy Martin insista pour régler l'addition. Sous le regard des badauds, il rétablit les lanternes du corbillard.

- Je les allumerai en arrivant à l'église, dit-il. Je n'ai malheureusement pas de croix orthodoxe.

- Le Comte s'en passera.

L'église Saint Alexandre Nevski n'était pas aussi vide que Dora le redoutait. La vieille garde de la colonie russe ne se souvenait guère du Comte Vladimir disparu dans le Midi, mais elle pratiquait le culte du passé et se recueillait en écoutant les chants nostalgiques du choeur. Dora se sentait étrangère, elle essaya vainement de prier pour ce mari mort qui la répudiait.

Au Père Lachaise Dora était seule à suivre le corbillard. Les fossoyeurs descendirent le cercueil dans un caveau provisoire et elle y jeta en signe d'adieu trois fleurs de la couronne qu'elle avait tressée. C'était fini.

- Appelez-moi Dora, dit-elle à Guy Martin.

AILLEURS

Il ne manquait plus que ça: des fautes d'orthographe. Martin, exaspéré, ordonna par interphone à la secrétaire de venir immédiatement.

- Mademoiselle, lui dit-il, si on est pressé de quitter son travail de bonne heure le vendredi, on ne fait pas trois fautes d'orthographe dans une seule lettre. Recommencez celle aux Etablissements Bouvreuil.

La secrétaire rougit. Elle fut de retour presque aussitôt, il n'avait fallu que quelques secondes à la nouvelle machine de traitement de texte pour corriger les erreurs. Martin l'avait oublié et sa mauvaise humeur s'accrut. Il signa la lettre.

- Excellent week-end, Monsieur, dit la secrétaire du pas de la porte.

Dominant sa colère qu'avivait ce souhait ironique, Martin parvint à articuler:

- Allez en paix.

Il repoussa vers l'extrémité du bureau le rapport d'expertise que le patron, contre son avis, avait fait établir par ce con de Sauvignard dont l'astuce était de compliquer les choses simples. Il ne pourrait supporter le bla-bla prétentieux du pseudo expert en gestion d'entreprises. Il fourra le rapport dans sa serviette.

Pour se défouler, Martin roula aussi vite que le permettait la circulation très dense à cette heure de pointe et freina brutalement. Carmen était assise sur une valise devant leur petite maison de banlieue.

- Que fais-tu là ? demanda-t-il à sa jeune femme.

- J'attends.

- Quoi ?

- Un taxi.

- Et ta voiture ?

- En panne. J'ai cassé la clef de contact au moment de démarrer. Le volant est coincé.

Encore des emmerdements, pensa Martin. Les garages étaient fermés le week-end, pas question d'effectuer la réparation avant lundi. Nom de Dieu, il aurait sa femme sur les bras du matin au soir. Le pire était que Carmen se montrait irritable ou du moins l'irritait depuis pas mal de temps. Il sortit de l'auto et remarqua qu'elle portait l'élégant deux pièces acheté sans le consulter. Ce n'était pas normal. Il l'observa. Il la sentit tendue.

- Qu'as-tu à foutre d'un taxi ?

- Je m'en vais.

- Vraiment ? Avec ça ? il désignait du doigt sa jolie toilette. Puis-je te demander où tu vas ?

- Ailleurs.

- C'est loin, ailleurs ?

- Tu m'énerves. Je ne sais pas.

- Mais tu sais si tu pars longtemps ?

Carmen se leva et la valise tomba sur le gravier. Ils ne songèrent ni l'un ni l'autre à la redresser. Elle gisait, noire, entre eux.

- Je suppose que ce sera longtemps, dit la jeune femme.

- Et tu n'emportes qu'une seule valise ? Ce n'est pas beaucoup pour partir ailleurs longtemps.

- Tu n'es pas drôle, Martin.

- Je ne comprends pas, dit-il.

Il savait ce qu'elle allait répondre. Elle dirait qu'il ne comprenait rien parce qu'il ne voulait rien comprendre. Carmen ne le dit pas. Elle avait raison. Il mentait en faisant semblant d'être surpris de sa décision. Si le volant de la Peugeot n'était pas bloqué elle serait déjà ailleurs. Mais elle était là.

- Et si je comprenais, ce serait différent ?

La jeune femme détourna de lui le regard de ses yeux sombres. Martin ne bougeait pas, il se demanda quel espoir choisir. Les choses n'étaient pas allées tellement loin que... Au soleil, tout demeurait possible, là devant la maison qu'ils avaient aménagée ensemble avec tant d'amour. Oui, tout était encore possible.

Le taxi arrivait. Il s'arrêta. Le chauffeur saisit la valise, la mit dans le coffre et ouvrit la portière.

- Si je comprenais, ce serait différent ? répéta Martin à voix basse.

Avait-elle entendu ? Carmen s'installa à côté du chauffeur. Elle baissa la vitre. Son visage était calme.

- Peut-être, dit-elle.

ELVIRE

Julien se vouait à la peinture abstraite. Il n'ignorait pas les sentiments de sa concierge sur son oeuvre. Dès que Madame Honorine venait nettoyer l'atelier il s'esquivait, leurs vues en art divergeaient. On est toujours en état d'infériorité si on s'aventure à discuter avec sa concierge.

Madame Honorine était veuve d'un mauvais mari, mais un mari même mauvais fait acquérir à sa femme une conception définitive de ce qu'il faut aux hommes. Elle avait décidé qu'un artiste de vingt-trois ans devait être protégé et y veillait.

Un jour humide de mai leur existence à tous deux fut bouleversée. Madame Honorine se vit frappée d'une crise de rhumatisme aux genoux tellement aiguë que le médecin lui interdit les escaliers. Ses maux physiques se doublèrent de la souffrance morale de ne plus pouvoir assurer l'entretien du septième.

Car Julien, au seuil de sa carrière parisienne, s'était installé sous le toit d'une maison bourgeoise de Montparnasse. L'ascenseur s'arrêtait au sixième étage, de là vingt marches menaient à un vaste grenier transformé jadis en atelier par un émule de Modigliani trop pauvre pour le rendre lumineux. Gravir ces vingt marches ne décourageait pas les marchands de tableaux pourtant avares de leur souffle ni les amateurs d'avant-garde ou de ce qu'ils supposaient l'être en cette année 1957.

La volée d'escaliers constituait désormais un obstacle infranchissable pour la concierge. Comment, se demandait Julien, s'effectuerait le nettoyage de son domaine les jours pairs de la semaine, Madame Honorine ayant choisi de le faire chaque mardi, jeudi et samedi. Il avait gardé le respect d'un enfant du nord pour la propreté, on en trouvait la preuve dans sa peinture. Il croyait aux couleurs franches, sinon pures, ses toiles à dominante d'ocre lui valaient quelque notoriété.

Lorsqu'il sut Madame Honorine en proie aux douleurs arthritiques, Julien, qui avait bon coeur et songeait à l'avenir, lui rendit visite. Se souvenant de ses goûts en peinture, il avait apporté un pot de cyclamen plutôt qu'une de ses esquisses. Ses ressources du moment permettaient pareille largesse. Une grand-tante aveugle à qui il lisait le Figaro jadis lui avait légué, par un de ces caprices qui émurent Douai, quelques titres canadiens dont les dividendes suffisaient à payer le loyer, le matériel et le cognac. Pour le reste, le produit d'une vente occasionnelle bouclait, mal, le budget.

La concierge l'invita à poser les fleurs sur la cheminée près de la photo de Minette, son chat défunt. Elle décrivit en détail les ravages du rhumatisme. Julien resta debout avec l'espoir déçu d'abréger les confidences médicales, il regardait autour de lui en murmurant des paroles de réconfort. Il aperçut dans un miroir sa tête d'insecte, il ressemblait à une de ces sculptures qui faisaient la gloire, éphémère selon lui, de Germaine Richier.

- Pour votre atelier, disait Madame Honorine, et aussitôt Julien devint attentif, j'ai trouvé. Je vous envoie Elvire.

L'éducation reçue au Collège Saint-Paterne paralysait souvent Julien. Cette fois encore elle l'empêcha de montrer une curiosité que légitimait le joli nom d'Elvire.

- Elle sait travailler, la petite, c'est moi qui vous le dit, conclut la concierge.

Julien n'en apprit pas davantage ce jour là, un mercredi. Le lendemain il fit de l'ordre dans ses affaires et adossa contre le mur ses toiles, ne laissant sur le chevalet que sa dernière oeuvre, inachevée, «Opus 19 en ocre majeur». Un tableau où il traduisait l'orgueil d'une âme solitaire. Satisfait, il se mit au travail.

On frappa à la porte. Entrez, cria-t-il sans bouger. Il y eut derrière lui le bruit de hauts talons, on posait quelque part des objets, on allait à la cuisine. Puis une voix de femme s'écria:

- Vous avez de nouveau mangé froid !

Julien se retourna, le pinceau à la main, ce n'était que Madame de Marmitel, sa bienfaitrice.

- Cette maigreur, cette pâleur, vous deviendrez anémique si vous négligez mes conseils, s'exclama la jeune femme qui déballait son colis: des boîtes de bouillon en cubes, des spaghettis, du lait condensé, de la confiture de coings, des vitamines. Une belle femme, Hélène de Marmitel, ronde de partout, Julien lui donnait trente-cinq ans, peut-être trente. Il ne parvenait pas à l'appeler Hélène. Elle ne comprenait rien à rien, mais du moins ne faisait pas semblant. S'amusait-elle à protéger un jeune artiste prometteur par romantisme ou par intérêt ? Julien était perplexe, il n'avait pas l'expérience des femmes parfumées, elles l'intimidaient.

- Quel éclairage infâme, disait-elle. Vous abîmez vos yeux à travailler avec si peu de lumière. Et nous sommes en mai ! Vous me ferez abattre une partie du toit pour percer une large baie vitrée, je veux voir clair à mon retour d'Italie.

Elle glissa une enveloppe sous un pot de confiture et reprit:

- N'oubliez pas les vitamines, matin et soir, les créateurs ont besoin de vitamines, comme les femmes enceintes.

Hélène rit, elle riait hors de propos. Julien se demanda s'il devrait l'embrasser à cause de l'enveloppe, elle cesserait ainsi de rire. Il n'osa pas. Il désirait qu'elle parte, Elvire allait arriver, il serait désastreux qu'elle aperçoive la confiture, les vitamines et Madame de Marmitel.

- Il est bien, votre jaune. J'aime le jaune, surtout à côté d'un beau brun-rouge. Pourquoi n'employez-vous pas du brun-rouge ? Je vous amènerai des amis qui broient du noir, votre tableau jaune les rendra optimistes.

Elle rit, pirouetta sur ses hauts talons et quitta l'atelier sans qu'il ait dit un mot.

Julien se hâta de cacher les vivres. Après avoir compté les billets de banque il les enferma dans un tiroir. Un toit vitré ? On verrait bien.

La pièce était telle qu'il le voulait lorsque deux coups nets furent frappés à la porte. Elvire s'annonçait par le même signal que Madame Honorine. N'eussent été un tablier trop ample, un balai et un seau émaillé, il aurait invité la blonde apparition à s'asseoir. Il s'abstint de se présenter, pensant que la jeune fille savait tout du locataire du septième.

- Madame Honorine m'a expliqué le boulot, dit-elle. Ne vous dérangez pas.

Puisqu'un peintre est présumé mettre de la couleur sur une toile, il écrasa le tube d'ocre au centre de l'opus 19.

Elvire vint ponctuellement les jours pairs à onze heures. Julien était toujours là, chaque fois il trouvait charmant le regard espiègle de ses yeux noisette. L'écouter fredonner des chansons à la mode avec une pointe d'accent méridional stimulait son inspiration.

Ce qu'il apprit d'elle l'enchanta. Comme de nombreux enfants naturels, dont la conception est due à l'insouciance, Elvire possédait le don de fantaisie. Son origine incertaine - sa mère, une beauté des Alpes Maritimes, n'avait aucune mémoire - l'affranchissait des tutelles qui brident l'élan des êtres doués. A dix-huit ans Elvire était montée à Paris. Craignant de s'engager si jeune dans une voie déterminée, elle variait ses activités. L'après-midi elle assistait une voyante extra-lucide de deux à six et avait le temps de fabriquer des postiches pour le célèbre perruquier Constant. Lorsque Madame Honorine lui avait offert de se charger en outre du ménage d'un futur Picasso, elle s'était empressée d'accepter.

Julien s'avoua bientôt qu'il était amoureux d'Elvire. Le lui déclarer serait banal, indigne d'eux. Un portrait exprimerait ses sentiments mieux que des mots, d'ailleurs les mots sont des boomerangs. Après avoir bu du Cognac V.S.O.P. acheté avec l'argent du toit vitré, il ébaucha les traits d'Elvire au fusain, encore et encore. Le résultat était si déprimant qu'il s'enfuit méditer au Louvre. Son tourment, loin de s'apaiser, croissait. Ce qu'avaient réalisé les grands et les médiocres ne le concernait pas. Il cherchait à se reconvertir sans se renier. Au bord de la Seine l'illumination le foudroya: il inventerait le nu non figuratif et ferait poser Elvire. Fou d'enthousiasme, il courut remplacer sur le chevalet l'Opus 19 par une toile vierge. Mais en art on n'improvise pas la révolution. Devant la surface blanche il se sentit paralysé, sa main refusait de tracer des ellipses voluptueuses et son oeil de préférer le bleu ou le rose à l'ocre ensoleillé. Il était prisonnier de ses visions. L'amour ne pourrait faire de lui un Julien l'Apostat.

L'impuissance ne se guérit pas avec des vitamines. Obsédé par le rêve inaccessible de concilier la géométrie et le corps d'une femme nue, Julien ne travaillait plus. Un samedi Elvire réveilla l'espoir.

- Je vous envie de savoir peindre, dit-elle.

Il offrit de lui donner des leçons. Elle y consentit, tout paraissait naturel à cette fille.

Et facile. Elle avait un sens inné des couleurs, de l'équilibre des volumes. Julien se mua en prof. Il l'emmena dessiner sur le motif, visiter des expositions, des galeries, lui montra des bouquins consacrés aux maîtres modernes, poussa l'abnégation jusqu'à utiliser du violet, même du carmin. Grâce à l'enseignement il retrouvait les joies simples d'une peinture non-cosmique et entrevoyait son propre salut.

Le temps coulait des jours heureux. Hélène de Marmitel prolongeait son séjour à Florence, Elvire que Julien se gardait d'influencer accomplissait des progrès vertigineux. Il encourageait ses hardiesses, mais était incapable d'entreprendre la composition qui mûrissait lentement dans sa tête.

Vers la mi-juillet une lettre de Douai troubla sa quiétude. Ses parents l'invitaient, comme chaque été, à passer six semaines en Dordogne. Julien réfléchit. Des congés payés restaureraient ses finances, une nécessité pour envisager l'éclairage de l'atelier. La famille a du bon, il aimait la sienne qui, impressionnée par les tirages de Françoise Sagan et le prix d'un Bernard Buffet, ne contrecarrait pas sa carrière artistique plus lucrative, la gloire acquise, que le textile. Enfin et surtout, ses relations tri-hebdomadaires avec Elvire n'évoluaient pas, elle le tenait à distance et retirait la main dès qu'il la saisissait sous prétexte de guider son pinceau. Une séparation serait la brise qui attiserait une flamme qu'étouffait la routine. Ces raisons conjuguées dictaient la réponse, il irait en Dordogne. Avant de partir il confia ses clefs à Elvire sans aucun pressentiment.

Il rentra à Paris un lundi de septembre, hâlé, grossi, impatient, porteur de toiles multicolores. Madame Honorine lui remit les clefs qu'Elvire avait déposées l'avant-veille.

L'atelier paraissait hostile à force de propreté. Julien regretta qu'il n'y eut pas d'autres signes d'Elvire que l'absence de poussière.

Il enfila le lendemain pour la séduire un maillot à rayures circulaires bleues et blanches, très canotier de Manet, se dit-il. A onze heures précises deux coups secs à la porte, Elvire parut avec son tablier, le balai et le seau émaillé. Elle dit «vous avez belle mine», mais son regard n'adressait pas d'appel et l'allégresse de l'attente qui bouillonnait en Julien se glaça. Il répondit qu'il avait eu un temps superbe.

Elvire n'avait rien à nettoyer. Elle se dirigea vers un placard et sortit plusieurs toiles.

- J'ai bien travaillé pendant vos vacances. Voyez.

Elle tenait des deux mains devant sa poitrine une huile de 72 x 60. Julien la lui arracha et la fixa sur le chevalet. Il recula pour l'étudier.

La jeune fille s'inquiétait de son immobilité, de son silence. Elle remplaça le tableau par un autre de même format. Julien ne réagissait pas.

Soudain, d'un geste violent, il renversa le chevalet et saisit Elvire à la gorge. Un coup de genou au bas ventre l'obligea de lâcher prise.

- Dites-donc, vous, parvint-elle à articuler.

- Foutez le camp ou je vous étrangle, cria Julien. Vite.

Il tremblait de rage, Elvire eut peur. Elle enveloppa dans son tablier les toiles dont l'effet avait été si désastreux et les descendit au sixième. Elle revint chercher le balai et le seau.

- Au revoir, dit-elle.

- Adieu. Ne remettez jamais les pieds ici.

- Et mes sous ?

- Soyez tranquille, ils seront jeudi à votre nom chez Madame Honorine.

Julien entendit s'éteindre le bruit de ses pas dans l'escalier. Il s'effondra sur le canapé et battit les coussins des poings comme un enfant injustement puni. En une minute il avait tout perdu. Elvire son élève, l'innocente Elvire qui ne connaissait pas les affres de la création picturale l'avait court-circuité et ruiné ses ambitions: elle peignait d'instinct des nus non-figuratifs.

CHÉRIE

Je m'étais bien débrouillé. Le très sérieux «Sondages objectifs de l'opinion publique», en abrégé SOOP, m'envoyait faire une enquête au sujet du nombre mensuel des cambriolages commis en 1984 sur la Côte d'Azur, une statistique que les offices du tourisme se gardaient de révéler pour ne pas effrayer la clientèle. Je devais cette mission de confiance à mes qualités de journaliste intrépide et de fils de l'honorable Albin Croquet, haut fonctionnaire de la Préfecture de Police de Paris. Mon nom, pensait le SOOP, me servirait d'introduction auprès des flics du midi.

Ce boulot tous frais payés tombait à pic. Il est agréable de dépenser l'argent des autres. Je comptais aussi rechercher du côté d'Antibes la petite garce Mireille, qui, à la Pentecôte, se morfondait certainement d'avoir rompu notre liaison pascale sans un mot d'explication. C'était mieux dans ce cas qu'un déballage intime. Si on déverse des griefs vrais ou faux, on y croit soi-même et il est malaisé de s'en dépêtrer.

Au départ de Paris par le T.G.V. de 11 heures 42, je parcourus les journaux et plusieurs hebdomadaires. Je m'endormis. A Valence un jeune couple s'installa en face de moi. Ils étaient habillés à une ancienne mode indéterminée. Lui portait un costume sombre et la cravate grise du grand-père, elle une robe genre 1900 raccourcie à mi-mollets. Par dessus ces accoutrements, des visages hâlés et des yeux de réglisse. Ils avaient deux grosses valises et je décidai qu'ils étaient en voyage de noces.

J'avais emporté un bouquin à succès, bâtard du nouveau roman, où le temps ne passe pas, ce qui est recommandé en T.G.V. lorsque le paysage défile si vite qu'il n'a plus de forme. J'hésitais à l'ouvrir mes vis-à-vis me distrayaient de toute lecture. Le garçon avait posé les mains à plat sur ses cuisses, l'air concentré de l'homme qui s'apprête à prendre son élan. Je me demandais, perplexe, quel acte de bravoure il envisageait en chemin de fer. Je lui adressai un de ces sourires bienveillants que j'adopte avant de soumettre mes victimes à une interview.

Le garçon le remarqua. Il soutint mon regard bleu. Je ne pus démêler s'il me lançait un défi ou me suggérait de lui foutre la paix en allant fumer ailleurs. Nous étions en non-fumeurs.

- Bientôt, chérie, dit-il sans tourner la tête ni bouger les mains.

La fille 1900 ne répondit pas. Elle m'observait, la chérie. Ce nom me faisait rigoler intérieurement. Je m'astreignis à ne pas le laisser paraître, j'attendais la suite. Car il était inévitable qu'il y aurait une suite au ridicule «chérie». Ces deux-là ne demeureraient pas éternellement figés dans leur pose de photo d'autrefois, ils échangeraient des mots tendres comme il n'est plus permis de nos jours. Même si on sort d'un trou de province et qu'on est en voyage de noces. Le sirop des mots tendres c'est bon pour les chansons débiles que la radio vous assène. Aussi loin que je me souvienne, ils étaient bannis du vocabulaire de mes parents. Et bien entendu de celui de Mireille. La vie se gagne durement, mes jeunes mariés apprendraient que ces moments n'étaient qu'un bref entracte dans la seule course où l'on peut s'affirmer, la course au succès.

Je pris mon livre et le feuilletai sans qu'un mot ne capte mon attention. Ce n'était pas là que je trouverais ce que, je m'en aperçus, je cherchais. Des personnages humains, faibles, qui n'essaient pas de se maintenir à tout prix dans le peloton de tête de peur d'être lâchés avant l'arrivée au sprint. Pourquoi pas, des personnages qui donnent et reçoivent de l'affection. Pourquoi ne rêverais-je pas à consoler un gosse malheureux de s'être écorché le coude ou à soutenir ma mère vieillie pour descendre les marches de l'escalier ?

Nom de Dieu, le couple d'en face me faisait déconner par son silence romantique. Avec impatience je récapitulais mes trucs infaillibles pour amorcer la conversation. Le visage de poupée 1900 de la fille me stimulait.

- Il est défendu de fumer, dis-je en lui tendant mon paquet de cigarettes.

Elle se crispa comme si je braquais un revolver.

- Merci, Monsieur. Jamais à jeun.

- Dommage. Je n'ai pas de chocolats à vous offrir.

Elle ne daigna pas me trouver drôle et je dus lui donner raison. Elle appuya la tête sur l'épaule de son compagnon.

- Vous l'avez effrayée, me dit le garçon. Elle est fragile. N'est-ce pas, Cynthia, tu es fragile.

- Oui. Mais tu es là, mon chéri.

J'eus envie de leur balancer mon livre à la figure. Fragile, Cynthia, allons donc. Malgré sa robe à plis on devinait qu'elle était bien foutue. J'ai fermé les yeux pour me l'imaginer en bikini, ma façon de rendre une fille désirable. Mais ce ne fut pas le corps hypothétique de Cynthia qui surgit, ce fut le corps superbe de Mireille au moment précis où, à la piscine, elle m'annonçait qu'entre nous c'était fini. Fini. Me faire ça au bord d'une piscine chauffée ! Elle ne comptait tout de même pas que le désespoir me flanquerait à l'eau. Si j'avais prévu le coup, je l'aurais envoyée au bain le premier.

Il ne fallait pas ouvrir les yeux. Mireille était là, ressuscitée, je la voyais comme je ne l'avais jamais vue. Plus la Mireille excédée par mes propos de journaliste superficiel, mais une Mireille attentive, rieuse, qui m'attend assise sur la margelle de la piscine. Je m'avance avec mon carnet de la SOOP et mon bic, je lui dis: «Pardon, Mademoiselle, on vous a cambriolé votre coeur à Pâques, n'est-ce pas ? Le mien a mis cinquante jours à le retrouver et je vous les apporte pour qu'ils se réchauffent ensemble au soleil.» Non. Mireille déteste ma feinte désinvolture. Je ne commettrai pas cette erreur. Je dois au contraire m'approcher doucement par derrière et doucement placer les mains sur ses yeux en murmurant: «chérie.» Elle tremblera de surprise heureuse à ce mot qu'elle ne connaît pas. Ma Mireille émancipée sera surprise que j'aie des tonnes de tendresse en réserve, moi qui n'ai pas eu l'occasion d'en répandre un gramme. Par ma faute. Maintenant tout redeviendra possible.

Je rêvais. Sans m'en apercevoir je fredonnais l'air «Mathilde est revenue». La chanson de Jacques Brel rythmait mon euphorie et je substituais à ses paroles des rimes optimistes. Je me berçais du refrain, «Mireille m'est revenue».

Un mouvement de mes compagnons de T.G.V. me rappela leur présence. Ils me regardaient consternés. A cause de Jacques Brel. Pour eux je chantais faux. S'ils savaient combien je chantais juste pour moi. Je n'avais plus le désir de leur balancer mon bouquin desséchant à la tête. C'était grâce à eux que Mireille m'était revenue. Ils méritaient ma gratitude.

- Je me rends à Antibes. Et vous ?

Le garçon et la fille se dégelèrent à cette question naturelle.

- Nous descendons à la prochaine station. Avignon. Nous avons un rendez-vous avec le directeur du Festival de théâtre. En costumes.

Je compris. Ils étaient des comédiens anxieux de se faire engager. J'avais été stupide de ne pas l'avoir deviné.

- Vous jouerez les amoureux timides.

Cynthia sourit.

- Excusez-moi de vous poser une question. Vous avez cru que nous étions réellement en voyage de noces ?

- J'ai marché à fond. Vous étiez parfaits.

- C'est merveilleux, s'écria Cynthia. Merci, Monsieur. Vous êtes notre premier public. Pourvu que votre exemple soit contagieux.

Je ne leur dis pas qu'ils m'avaient communiqué la contagion de l'espoir. Le directeur de théâtre qui allait m'engager, j'en étais convaincu, se nomme Mireille.

LES BÉQUILLES

Le clignotement des phares d'un camion venant en sens inverse avertit Hudson: des flics étaient en embuscade pour contrôler la vitesse des voitures sur l'autoroute. A onze heures du soir, un vendredi de juin, la police ferait mieux de s'attaquer au banditisme au lieu d'importuner les honnêtes citoyens qui rentrent de New York.

Hudson ralentit. La radio diffusait «Yellow Submarine», puis donna les prévisions météorologiques. On annonçait la persistance du beau temps, la brise soufflerait du Long Island Sound et la température demeurerait clémente. Dès que le speaker en vint aux nouvelles du monde en crise, Hudson tourna le bouton. Il fredonna le refrain de «Yellow Submarine», sa chanson préférée des Beattles, et se demanda où passer les semaines d'été lorsque d'accablantes vagues de chaleur s'abattent sur le Connecticut. Comme d'habitude il irait d'abord chez Gladys en Californie pour quelques jours, sachant que la turbulence des jumeaux lui serait bientôt insupportable. A six ans ses petits-fils ne l'intéressaient pas encore. Ensuite ? Accepter l'invitation du festival de théâtre de Nancy à la première d'un psychodrame tiré par un metteur en scène d'avant garde de «les Barbelés doubles», son roman traduit en français il y avait trente ans ? On pouvait prophétiser un spectacle dégueulasse où le texte est réduit à zéro au profit de contorsions simiesques, il serait odieux d'être applaudi ou sifflé pour une oeuvre de jeunesse défigurée. Hudson décida de ne pas se rendre à Nancy. Il détestait d'ailleurs le snobisme intellectuel de l'Europe et trouvait absurde d'y voyager à une saison où les prix sont astronomiques et la foule vous prive d'air pur.

Le problème de ses vacances était difficile à résoudre. Il n'avait ni désirs ni projets. Quand tout est permis on n'a envie de rien, l'homme libre du choix de ses tentations est plus démuni que Saint Antoine, se dit-il. La formule lui plut. Il y avait là une idée à creuser, elle pourrait servir pour un prochain roman. Depuis Eve et le serpent, la tentation est un sujet en or.

Ses pensées revinrent à la réception de tout à l'heure au Waldorf-Astoria. Chappy s'était surpassé, il méritait sa renommée de meilleur agent littéraire des Etats-Unis. Le lancement d'un bouquin, prétendait-il, débute par une conférence de presse et des apparitions à la télévision afin qu'on en parle, mais c'est insuffisant pour vendre sa salade, on doit figurer sur une liste des livres du mois. Chappy avait tapé juste en offrant «Et si j'avais cinquante ans ?» au Widows Book Club, ces veuves joyeuses s'étaient empressées de l'élire sur la foi de son titre. Votre astuce, disait Chappy, a été de ne pas dévoiler l'âge exact de l'héroïne et ainsi une armée de femmes mûrissantes se sentent concernées par les tribulations sentimentales salées d'érotisme de l'ardente Cynthia. Même si le critique du New Yorker a fait la fine bouche tout en louant votre talent de conteur, c'est le best-seller garanti.

Arrivé à la pente légère qui menait au garage en contrebas de la maison, Hudson appuya sur la commande électronique et la porte du garage coulissa. Il rangea la voiture et gravit la déclivité pavée de larges dalles qu'on pouvait aisément déblayer de la neige en hiver. J'ai pris mes précautions pour me débrouiller en toutes circonstances, se dit-il avec satisfaction.

Au moment où il foulait le gazon bien tondu de la pelouse, Hudson vit quatre silhouettes se détacher de l'érable centenaire et se déployer en tirailleurs. L'un des individus muni d'une torche avançait vers lui du pas souple et négligeant des voyous qu'on voit dans les films de troisième série. Hudson comprit qu'il était cuit. Appeler au secours serait inutile, il vivait seul et les voisins habitaient loin. Trop tard aussi pour courir au garage et actionner le système d'alarme relié au poste de police. Il n'avait d'autre alternative que de continuer sa marche comme si la peur ne lui nouait pas les tripes. Le faisceau de lumière blanche braqué sur son visage l'immobilisa.

- Monsieur Hudson ? dit l'homme à la torche.

L'apostrophe surprit l'écrivain. Pourquoi vouloir s'assurer de son identité ? Si c'était pour le kidnapper, des ravisseurs auraient pris d'avance des renseignements sur ses allées et venues, il serait déjà embarqué avec une cagoule ou un bâillon. Ces jeunes gouapes n'étaient que des voleurs du week-end alléchés par la perspective d'un cambriolage aisé.

- Quelle importance ? demanda-t-il.

- Réponds. Je pose les questions, pas toi.

- C'est bien Hudson, je le reconnais, dit une voix. Il est moins fier que samedi quand il débitait des conneries à la télé.

Il n'était pas fréquent que des gangsters suivent les émissions culturelles. La curiosité professionnelle du romancier s'éveilla.

- Que me voulez-vous ?

- Voilà que tu récidives. Tu sauras ce que nous voulons quand nous serons confortablement installés chez toi. Allons, ne tremble pas comme ça, tu ne trouveras jamais le trou de la serrure.

Le garçon lui arracha le trousseau de clefs et ouvrit la porte.

- Passe devant et allume. Pas de fantaisies, tu as tout intérêt à être docile.

Hudson était partagé entre la crainte d'introduire la bande dans sa villa et l'impatience de voir les visages de ses agresseurs. Il se disait que s'il parvenait à engager le dialogue, sa dialectique les détournerait de la violence.

Il pénétra dans la bibliothèque qui ne contenait guère d'objets précieux.

- Je travaille ici, dit-il.

- Merde, quel luxe ! T'es plein de fric, Hudson. Où le caches-tu ?

- A la banque.

Hudson avait allumé les lampes et sans se retourner il se dirigea vers sa table de travail avec l'intention de s'emparer du revolver qui dormait au fond d'un tiroir. Mais il y avait un téléphone sur le bureau, sa manoeuvre parut suspecte à l'un de ces crétins qui d'une bourrade le projeta dans un fauteuil.

Les quatre jeunes gens s'assirent en face de lui. L'un d'eux était une fille vêtue comme les garçons d'un tee-shirt et de blue jeans. Ils avaient les cheveux propres. La présence d'une jolie fille aux yeux bleus sous l'arc de cercle parfaitement dessiné des sourcils rassura Hudson. Il essaya de rencontrer son regard.

- Je te présente June, dit le chef du quatuor, un rouquin, qui avait capté sa tentative de message. Ne te réjouis pas que cette pépé fasse partie de notre expédition punitive, les filles d'aujourd'hui sont exigeantes et impitoyables. Moi tu peux m'appeler Jerrie, ce gars à lunettes Jack et l'autre Jim.

- Des prénoms d'emprunt. Vous êtes étudiants à Yale?

- Ne m'énerve pas avec tes questions. Enfonce-toi dans ta vieille cervelle que tu es en notre pouvoir et que tu n'auras aucun recours.

Ces gosses de vingt ans, Hudson s'en persuadait, devaient être des intellectuels plus ou moins désaxés qui jouaient un jeu dont le sens lui échappait. Il analysa en psychologue leur attitude. Jerrie balançait ses larges épaules pour entrer dans la peau d'un dur, mais le langage artificiel qu'il adoptait afin d'affirmer son autorité était démenti par des lapsus d'un vocabulaire étendu. Mince et fluet, Jim croisait et décroisait des mains de musicien, incapable de rester tranquille, on le sentait en permanence sur le qui-vive. Plus redoutable paraissait Jack, son regard de myope derrière des lunettes d'écaille était d'un fanatique de Dieu savait quelles causes désespérées, le genre de gars qui va jusqu'au bout quoi qu'il en coûte. Heureusement qu'il y avait June, elle ressemblait à une image lointaine que Hudson cherchait à ressusciter. Une brune aux yeux bleus qui, selon Jerrie, était impitoyable ? Il avait dû sourire malgré lui car Jerrie sauta de sa chaise.

- Espèce de vieux con, cria-t-il, tu souris parce que tu crois que nous n'oserons pas agir à visage découvert. Détrompe-toi, Hudson, la partie est inégale. Nous avons tout à gagner et toi tout à perdre.

- Affirmation gratuite, dit Hudson, donc erronée.

- Comment ça ?

- Stop, Jerrie, intervint Jim, ne te laisse pas entraîner dans une palabre oiseuse. Il ne demande qu'à palabrer.

- La situation est claire, dit Jack. Monsieur Hudson, vous faites fortune en écrivant des livres médiocres. Vous allez nous rendre compte de cet argent mal gagné.

- Et rendre gorge, renchérit Jerrie avec un sourire. Le rouquin avait des dents de renard.

Le quatuor examinait si fixement Hudson qu'il s'inquiéta. La menace d'une expédition punitive se précisait.

- Tu as de l'argent et pas d'ambition, reprit Jerrie. Nous c'est le contraire. Un déséquilibre intolérable.

- Et votre ambition est de m'extorquer de l'argent ? Parfait. J'ai eu une journée fatigante, dit Hudson, sortant son portefeuille de sa poche. Il compta les billets. Voici quatre-vingt cinq dollars. Prenez-les et disparaissez.

- Tu ne te débarrasseras pas de nous avec de la petite monnaie. Tu vas nous signer quatre chèques en blanc qui seront des honoraires pour des leçons de morale que nous te donnerons. Nous t'accordons la faveur de suggérer toi-même un chiffre.

- Vous êtes fous. Je refuse de payer une rançon pour être libre chez moi. Et que signifie cette histoire de morale ?

- Plus tard, dit Jim.

- Où est ton carnet de chèques ? demanda Jerrie.

- Dans le bureau.

June alla ouvrir le tiroir de droite.

- Pas celui-là, cria Hudson. Le tiroir du milieu.

La jeune fille lui apporta un carnet de chèques avec un numéro du New Yorker en guise de sous-main.

- Le jury va délibérer, dit Jerrie. Mademoiselle, Messieurs, nos honoraires doivent-ils être fixés en fonction des mirifiques droits d'auteur de l'accusé ou de nos besoins à nous ?

- A chacun selon ses besoins est le critère de la justice distributive, déclara Jack.

- Une théorie du temps de grand-papa, ironisa Jim. Il est vrai que nous jugeons un ancêtre... Quel est votre âge, Monsieur Hudson ?

- J'avais dix ans le jour de Pearl Harbour. Ça vous dit quelque chose, Pearl Harbour ?

- 7 décembre 1941, murmura Jack.

- Ne déraillons pas, dit Jerrie. A combien s'élèvent nos modestes besoins ?

- Il me manque les disques de la Flûte Enchantée, dit Jim.

- Il me manque des dictionnaires, dit Jack.

- Moi, je désire aller à Paris, dit June.

- Objection, protesta Hudson. Un désir n'est pas un besoin.

- Objection admise, décida Jerrie. Mais en la soulevant, mon cher, tu reconnais que nous formons un tribunal.

- Si ça vous amuse de mélanger la force et le droit...

Il n'y avait qu'à attendre le verdict. Ces gamins ne se pressaient pas. Tout était possible.

- Nous te condamnons, dit Jerrie lentement pour prolonger le suspense, à remettre un chèque de 200 dollars à chaque garçon et de 400 dollars à June que tu reluques de façon indécente.

Hudson calcula qu'il s'en tirait avec mille dollars, une bagatelle par rapport à ce qu'il appréhendait. Mais mille dollars sont mille dollars, on ne s'en sépare pas sans discuter.

- Vous exagérez, dit-il. Je vous fais un chèque de 500 dollars.

- Si tu marchandes, ce sera le triple. Signe quatre chèques en laissant le nom du bénéficiaire en blanc.

Un moment Hudson songea à contrefaire sa signature, le moyen sûr de faire arrêter les porteurs lors de la présentation des chèques.

A la réflexion le truc lui parut un peu gros, et une meilleure idée l'incita à s'exécuter.

- Bon, dit Jerrie. A propos, Hudson, je te déconseille de téléphoner demain à ta banque pour t'opposer au paiement des chèques. Avoue que tu y penses.

- J'y ai pensé et je le ferai.

- Non, tu ne le feras pas. Nous ne sommes pas des naïfs, tu as tort de mésestimer l'adversaire. Explique, Jack.

Jack essuya les verres de ses lunettes avant de prendre un ton doctoral.

- Par la signature des chèques, vous avez ipso facto reconnu que vous régliez une dette.

- Quelle dette ? Je ne suis redevable de rien.

- Mais si, Monsieur Hudson. Vous nous avez évidemment remis quatre chèques en rémunération d'un service. Au cas où vous feriez opposition, la conséquence inéluctable sera la révélation du service que nous vous avons rendu et un scandale qui ternira votre réputation.

- Je ne comprends pas ce chantage par énigme.

- Nous dirons, dit Jerrie, que l'auteur de «Et si j'avais cinquante ans ?», ayant marre de faire l'amour avec des mots, nous a invités cette nuit pour organiser la petite orgie dont il rêve en vieux satyre que ses bouquins font soupçonner. Nous dirons, Hudson, que tu nous as payé comptant la transformation de ton rêve en réalité grâce à June. Elle est mignonne, notre June, ça te vaut bien mille dollars de la tenir à poil dans tes bras et de caresser sa peau douce. Si elle se débat, tu t'exciteras davantage, tu offriras des monceaux de tes chers dollars pour te l'envoyer, avec en prime la possibilité de décrire à tes lecteurs le viol d'une mineure.

D'un geste brusque, Jerrie releva la chemise de June au-dessus de sa tête et fit tomber la jeune fille sur les genoux de Hudson. Aveuglée, elle essayait de couvrir des mains sa poitrine nue. Hudson la repoussa et Jim l'aida à se mettre debout.

- T'as peur que son corps te brûle, railla Jerrie.

June rabattit son tee-shirt, se précipita vers le bureau et sortit du tiroir de droite le revolver qu'elle avait aperçu en cherchant le carnet de chèques.

- Je t'avertis, Jerrie, dit-elle, je tire si tu t'approches à moins de deux mètres. Tu n'as pas honte de tricher ?

- Crie pas et range ton joujou. Je ne pouvais tout de même pas te prévenir que le scénario comportait un épisode de nichons au vent.

- Il est temps de passer aux choses sérieuses, dit Jack.

Ils reprirent leur chaise en face de Hudson qui était de plus en plus troublé. On lui soutirait par un chantage habile mille dollars et ce tour de prestidigitation ne serait qu'un hors d'oeuvre. Jerrie parlait de scénario, Jack de choses sérieuses, June de tricherie. Ces jeunes gens avaient un plan.

- Tu as parié sur l'argent et le sexe, dit Jerrie, t'imaginant gagner ainsi la course à la notoriété. Seulement, si des tas de gens lisent tes romans, ils les oublient aussitôt. Tu n'en souffres pas, Hudson ?

Il m'agace avec ses Hudson, pensait l'écrivain.

- Qu'est-ce que ça peut vous faire ? dit-il pour ne pas répondre.

- A mon tour, dit Jim. Il joignit ses mains flexibles. Nous sommes désolés, Monsieur, d'avoir dû recourir à cette mise en scène, mais sans elle vous n'auriez pas senti combien vous êtes vulnérable.

- Il fallait vous mettre en condition d'écouter et de comprendre notre réquisitoire, dit Jack.

- Vous êtes jugé, reprit Jim, pour crime de haute trahison envers vous-même et envers vos lecteurs, le crime de démissionner des responsabilités du grand écrivain que vous étiez il y a trente ans. Il se fait, Monsieur, qu'à l'Université nous étudions les oeuvres romanesques inspirées de la dernière guerre mondiale et notre équipe a choisi vos «Barbelés doubles».

- Encore, soupira Hudson. Qu'avaient-ils tous à dérouler ces barbelés.

- Une oeuvre formidable. Nous avons adhéré si intimement aux personnages qu'ils nous habitent et nous possèdent. Gordon, Brick, Wallis, Gwendoline ne sont pas des êtres captifs de la fiction, ils bougent , ils souffrent, ils vivent. Mais pour vous, obnubilé par des coucheries avec vos Cynthia de cinquante ans, sont-ils toujours vivants ?

Hudson s'agrippa aux bras de son fauteuil, y enfonça les ongles. Etait-ce une hallucination ? La lumière des lampes faiblissait, des formes émergeaient de l'ombre, Hudson crut voir, indistincts, les visages de camarades d'autrefois dont il avait emprunté les traits pour composer ses personnages, il confondait les uns et les autres, il tortura en vain sa mémoire défaillante. Gordon et Brick et Wallis et Gwendoline le fuyaient. Il ferma les yeux.

- Parlez-moi, dit-il. Il était une fois...

- Il était une fois, dit Jim, un simple G.I. du nom de Gordon, prisonnier des Japonais dans une île du Pacifique où il subissait des sévices cruels. Une nuit il est libéré lors d'une attaque surprise des Marines et devient le gardien de ses anciens geôliers avec l'ordre de les traiter aussi férocement qu'il l'a été lui-même. Gordon sait ce qu'éprouve la victime, il se révolte, il refuse de se montrer inhumain.

- Une révolte impuissante, dit Jerrie, si Gordon ne s'assure pas l'appui de son supérieur, le sergent de carrière Brick, en ébranlant sa foi dans les vertus du sacro-saint règlement militaire. Brick est un primitif, mais il a des réactions saines devant l'arbitraire et peu à peu il se met à douter de la légitimité des droits absolus du vainqueur.

- Le plus désemparé est l'étudiant en médecine Wallis, dit Jack, qu'écrase la tâche de combattre une épidémie de typhus sans disposer de moyens efficaces. Il se sent solidaire des malheureux Japonais qu'il ne peut sauver et souhaite contracter la maladie en expiation de l'indifférence d'autrui.

- Parmi ces hommes prisonniers derrière les barbelés, réels et moraux, dit June, seule Gwendoline, la fille du commandant du camp, résiste à la lassitude et au découragement. Elle stimule leur énergie, en appelle à l'orgueil américain, et proclame: «on doit monter à l'abordage des puissances du mal même avec des béquilles si ce sont les béquilles de l'amour et de l'espoir».

Hudson rouvrit les yeux. Il se souvenait.

- Gwendoline ! s'écria-t-il les bras tendus vers l'apparition. C'est toi, ce sont tes yeux bleus, tes sourcils en arc de cercle. Tu es là, Gwendoline. Je t'en prie, dis-la de nouveau cette phrase sur les béquilles.

June secoua la tête.

- Je ne suis pas Gwendoline, Monsieur Hudson. Nous ne sommes pas des revenants sortis de votre roman comme vous en avez l'illusion. Vos personnages, dit Jim, nous appartiennent désormais, à nous qui les aimons. Ils vous ont échappé. Vous avez perdu Gwendoline, vous entendez de loin en étranger la musique de Gwendoline.

Hudson ne se résignait pas. Il protesta:

- Mais je les ai créés, mes personnages. Ils sont à moi.

- Ils l'ont été tant que vous étiez digne d'eux, tant que vous respiriez ensemble dans l'harmonie d'un même univers. Dès votre deuxième livre, ils ne vous ont plus reconnu, ils vous désavouent, et chacun vit pour soi sa propre vie.

Il y eut un silence. Les jeunes gens qui étaient et n'étaient pas Gordon, Brick, Wallis et Gwendoline observaient Hudson se débattre dans ses efforts à nier l'évidence.

- La vérité, reprit June, est que vous êtes un déserteur. Il est dommage pour votre gloire littéraire qu'après la publication des «Barbelés doubles» vous ne soyez pas mort.

- Bravo ! riposta Hudson. Parce que je ne suis pas mort prématurément vous me volez mille dollars. Vous pouviez m'épargner votre bla-bla prétentieux en recevant mes chèques.

- Nom de Dieu, Hudson, s'écria Jerrie, cesse de te défiler, de faire semblant d'ignorer la portée de nos questions. Et d'abord celle-ci: n'es-tu donc pas tourmenté de constater que tes bouquins, sauf le premier, ne laissent aucun sillage ? Je réponds à ta place: oui, j'en ai la conviction, un livre qu'on ne relira jamais est une fenêtre qui ouvre sur le vide. Oui, ce soir, j'aspire à foutre en l'air les béquilles du sexe et de l'argent pour monter à l'abordage avec Gwendoline.

- Des mots, vous vous gargarisez de mots, dit Hudson. On ne s'élance à l'abordage qu'au cas où des événements exceptionnels justifient le don total de soi. Nous sommes en 1981, l'époque héroïque des guerres et des révolutions est depuis longtemps enterrée. Est-ce d'épopée que vous avez la nostalgie romantique ? Mes pauvres amis, le monde actuel, le vôtre et le mien, n'a pas les couleurs de l'oiseau de paradis, il est grisâtre. Et June, qui se rêve une Gwendoline intrépide, que fait June ? Elle étudie la littérature du passé saisie par la banquise de l'histoire.

- Vous plaidez mal une mauvaise cause et ne leurrez personne, dit Jim. Vous le savez mieux que nous, les événements extérieurs accueillis passivement sous des millions de formes différentes ne font naître ni le sujet ni les personnages d'un roman qui n'existe qu'à travers la vision de l'écrivain. Sans lui, c'est l'oubli. Je suis gêné de vous rappeler que les vibrations de la sensibilité, le tumulte du tempérament, l'imagination du style ont produit Anna Karénine, les Frères Karamazov, Lumière d'Août, pas la guerre ou la révolution.

- Vous avez beau jeu de m'aplatir sous le poids de chefs-d'oeuvre...

Pourtant Jim a raison, se disait Hudson. Combien de fois n'avait il pas ruminé tout cela, tenté par l'aventure d'un livre où il transposerait ses expériences et ses angoisses au risque de s'aliéner un éditeur et un public qui se contentaient du scintillement de faux bijoux. Mais le goût de plaire, le succès facile avaient mangé ses forces, il craignait de n'être qu'un virtuose, de ne plus avoir le souffle et la patience têtue de s'atteler à la rédaction du roman que ces gosses, ignorants des affres d'une écriture aux mailles serrées, prétendaient exiger de lui.

- Qui êtes-vous pour m'accabler de la sorte ? demanda-t-il.

- Votre conscience. Ou son écho, dit June. Gwendoline l'a réveillée, n'est-ce pas. Il vous reste à retrouver une voix.

- Et le courage, dit Jim, d'être le créateur que vous étiez. Ne l'avez-vous pas senti, notre comédie de la désinvolture et de la violence était la projection de vos préjugés envers une génération qui vous trouble. La nôtre. Vous avez peur d'elle. Vous fuyez la jeunesse pour ne pas soulever ses masques et la regarder les yeux dans les yeux.

- Que verrais-je derrière ces masques ?

- La vie, dit Jack. Nous sommes la vie qui attend de prendre forme. Nous sommes les personnages du roman que vous écrirez où se fera leur destin.

- La preuve, Monsieur Hudson, de notre confiance en vous, dit June.

- Et si je ne méritais pas cette confiance ?

- Alors, ricana Jerrie, tu prendras ton revolver et te logeras une balle dans ce vieux coeur qui n'aura plus le droit de battre.